O poder do Master Mind

Inspirado nos ensinamentos de
NAPOLEON HILL

O poder do
Master
Mind

MITCH HOROWITZ

Publicação oficial autorizada pela
FUNDAÇÃO NAPOLEON HILL

Título original: *The Power of Master Mind*

Copyright © 2018 by The Napoleon Hill Foundation

Imagem de Napoleon Hill Copyright © 2018 by Tim Botta

O poder do MasterMind
1ª edição: Abril 2019
Direitos reservados desta edição: CDG Edições e Publicações

*O conteúdo desta obra é de total responsabilidade do autor
e não reflete necessariamente a opinião da editora.*

Autor:
Mitch Horowitz

Tradução e preparação de texto:
Lúcia Brito

Revisão:
3GB Consulting

Criação e diagramação:
Dharana Rivas

DADOS INTERNACIONAIS DE CATALOGAÇÃO NA PUBLICAÇÃO (CIP)

H811p   Horowitz, Mitch.
         O poder do Mastermind / Mitch Horowitz. – Porto Alegre: CDG, 2019.
         192 p.

         1. Desenvolvimento pessoal. 2. Motivação. 3. Sucesso pessoal. 4. Autoajuda. I. Título.

                                                        CDD - 131.3

Produção editorial e distribuição:

contato@citadeleditora.com.br
www.citadeleditora.com.br

Na capa, a partir do alto à direita: Napoleon Hill, Thomas Edison, Alexander Graham Bell, Luther Burbank, Woodrow Wilson, Jamil Albuquerque, Don Green, Mitch Horowitz, Harvey Firestone, Henry Ford, John D. Rockefeller e Andrew Carnegie.

Para Liam O'Malley,
que me apresentou o MasterMind.

NOTA DA EDITORA

O termo "Master Mind" (mente mestra) foi utilizado por Napoleon Hill para nomear um de seus princípios da Lei do Sucesso. Nas publicações da Citadel Editora, optamos pela grafia MasterMind, utilizada pelo Grupo MasterMind – Treinamentos de Alta Performance, empresa de formação de líderes credenciada pela Fundação Napoleon Hill dos Estados Unidos.

O uso comercial do termo Master Mind é proibido no Brasil sem a expressa autorização do Instituto De Albuquerque, estando sujeita a penalidade, de acordo com a Lei nº 9.279, 14.5.1996. MasterMind é uma marca registrada no Brasil no INPI de titularidade do Instituto De Albuquerque.

Nenhum indivíduo obtém grande poder sem fazer uso do MasterMind.

– Napoleon Hill

PREFÁCIO

Conheci o MasterMind em 1978, aos 14 anos de idade, quando li *A Lei do Triunfo,*[*] de Napoleon Hill. Foi uma revelação entender o conceito e ver que eu, um garoto de família muito pobre, poderia aplicá-lo em minha vida. O MasterMind nasce de um sonho. E o MasterMind potencializa a transformação do sonho em realidade. A união de todos fortalece cada um, e o MasterMind é uma ferramenta para a aplicação dessa verdade. Isso me empolgou, me motivou, e tratei de usar o MasterMind em meu sonho de ascensão social, de engraxate, vendedor de picolé, vendedor de lenha de porta em porta e empacotador de supermercado até me tornar professor acadêmico.

Na década de 1990, adquiri a marca MasterMind para dar nome a outro sonho que tornei realidade: atuar na área da educação corporativa. Hoje o Grupo MasterMind realiza cursos sobre a metodologia de Napoleon Hill no Brasil e em mais sete países de língua portuguesa. A instituição é a única autorizada e credenciada pela Fundação Napoleon Hill dos Estados Unidos.

[*] Lançado pela Citadel Editora como *O manuscrito original – As leis do triunfo e do sucesso de Napoleon Hill.*

Em meus muitos anos de estudo e ensino da obra de Napoleon Hill, descobri que o MasterMind ajudou a fundar o maior país da Terra. Esse MasterMind histórico formou-se por volta de 1772 e chegou ao ápice em 1776, quando foi assinada a Declaração da Independência dos Estados Unidos. Os 56 signatários fundiram suas mentes em torno do objetivo de criar uma nação alicerçada sobre a liberdade e a oportunidade. Naquela época, a mobilidade social era quase nula; só vencia quem tivesse linhagem, sobrenome. Ou se nascia nobre, ou se morria pobre.

Os fundadores dos Estados Unidos pensavam diferente, entendendo que todo ser humano teria condições de vencer desde que subjugasse dois grandes adversários: o próprio indivíduo e as dificuldades interpostas no caminho. O MasterMind está enraizado no país desde então, impulsionando a ideia de "destino manifesto" da nação, que se considera eleita por Deus para dominar o continente, o mundo e o espaço. Os norte-americanos sonharam um dia se banhar no Pacífico e ainda estar pisando em solo nacional. (Lembrando que no século 18 os Estados Unidos eram apenas uma faixa de terra à beira do Atlântico.) Sonharam fazer um país tão belo quanto Atenas e tão grande quanto Roma. Por isso Washington foi construída tão bela quanto Atenas, e Nova York, tão grande como Roma.

O sonho da conquista sempre permeou a mentalidade americana. Existe uma lenda urbana que é um notável exemplo da energia do MasterMind agindo nesse sentido – e indo muito além das mentes que inicialmente a ativam e canalizam para um objetivo principal definido. Diz a lenda que certa vez o presidente norte-americano John Kennedy foi visitar a NASA, agência espacial dos Estados Unidos, e na entrada viu um faxineiro com uma vassoura, foi cumprimentá-lo e perguntou: "O que você faz aqui na NASA?". O faxineiro respondeu sem vacilar: "Sr. Presidente, eu ajudo a levar o homem à Lua".

Durante a Guerra Fria e a acirrada corrida espacial entre Estados Unidos e a extinta União Soviética, o desafio de fazer o homem pisar na Lua pela primeira vez tornou-se objetivo principal definido do governo norte-americano, e a energia do MasterMind dos proponentes da ousada meta alastrou-se e foi captada por outras mentes, milhões delas. O resultado todo mundo sabe qual foi: em 20 de julho de 1969, o astronauta Neil Armstrong, comandante da missão Apolo 11, em transmissão ao vivo pela TV (em preto e branco na época), realizou a primeira caminhada humana na Lua – "um pequeno passo para o homem, mas um salto gigantesco para a humanidade".

Esse objetivo principal definido fora anunciado por Kennedy em 25 de maio de 1961, em uma sessão especial do Congresso. O presidente foi morto em 1963, mas o MasterMind seguiu ativo. Isso porque estava firmemente enraizado no governo e na nação. Quando é assim, o líder original pode até vir a faltar, mas a visão se mantém. Conseguir efeito semelhante em uma empresa é uma façanha que todo líder deveria perseguir, porque, se conseguir, alcançará uma diferença estratégica básica maravilhosamente ilustrada em outra lenda urbana. Nessa, um homem passa por um canteiro de obras e pergunta a um operário o que ele está fazendo. "Carregando tijolo", é a resposta lacônica e óbvia. O homem faz a mesma pergunta para outro operário, que responde: "Estou construindo uma catedral". O MasterMind faz as pessoas enxergarem o futuro que desejam.

O livro que você vai ler agora é um manual de MasterMind. Como construir o MasterMind, a mente mestra, um inconsciente coletivo de abundância. É precioso para iniciantes. E, se você já tem algum grau de experiência, é uma excelente leitura de apoio e renovação, com técnicas que poderão ser testadas no seu grupo. Mitch Horowitz é um escritor moderno e esmiúça o MasterMind com uma linguagem contemporânea. Entre os assuntos que ele aborda, estão os seguintes:

- Como escolher o objetivo principal definido.
- Como escolher integrantes para o seu grupo de MasterMind.
- Como proceder durante os encontros de MasterMind.
- Como proceder nos intervalos entre as reuniões do grupo.
- O que fazer – e o que NÃO fazer – para fortalecer o seu grupo de MasterMind.
- O que fazer – e o que NÃO fazer – quando surgirem problemas.

Se você seguir as instruções, pode ter certeza de que vai funcionar. O MasterMind sempre é ativado quando duas ou mais mentes se juntam harmoniosamente em torno de um objetivo definido. Um encontro no corredor pode se transformar em um MasterMind. Onde houver dois ou três reunidos em harmonia, ali se formará um MasterMind.

Uma das belezas do MasterMind é a pluralidade. O MasterMind sempre será de duas ou mais pessoas. Por exemplo, Mitch Horowitz participa de um MasterMind com sete integrantes. Eu prefiro grupos de 12 pessoas. Por que 12? Porque 12 é um número carregado de simbolismo; "doze" vem do caldeu *dodeca*, que significa "a mente que governa com sabedoria". Não por acaso são 12 meses, 12 apóstolos, 12 tribos de Israel, 12 signos. Platão considerava o dodecaedro, a figura geométrica com 12 facetas, o símbolo do universo. Tudo isso pode ser aplicado nos negócios e no desempenho pessoal.

Agora, lembre-se do mais importante: as mentes do MasterMind têm de estar em harmonia. Não se trata de quantidade de participantes, mas dessa qualidade básica. E do empenho que você dedicar a sonhar e trazer seus sonhos para a realidade.

Boa leitura e muito sucesso!

— **Jamil Albuquerque**
Presidente do Grupo MasterMind – Treinamentos de Alta Performance

SUMÁRIO

1. O que é MasterMind? — 17

2. Como conduzir o seu MasterMind? — 29

3. Vozes do MasterMind — 47

4. O MasterMind e o "segredo" de Napoleon Hill — 73

5. O poder do apoio dos companheiros — 99

6. Think and Grow Rich: o estilo de vida MasterMind — 109

7. Perguntas e respostas sobre o MasterMind — 133

Posfácio: MasterMind para todos — 143

Apêndice 1: Superalma – A chave interior para o MasterMind — 147

Apêndice 2: As 16 leis do sucesso — 177

Sobre Napoleon Hill — 183

Sobre Mitch Horowitz — 185

O QUE É MASTERMIND?

*Existe uma mente comum a todos os homens.
Cada homem é uma entrada para ela e para tudo dela.*

— Ralph Waldo Emerson, "História", 1841

Este livro é sobre a etapa mais negligenciada da filosofia de sucesso de Napoleon Hill – e a que ele descreveu como vital para a viabilidade geral de seu programa: a formação e manutenção de um grupo de MasterMind.

"Um grande poder não pode ser acumulado por meio de nenhum outro princípio", escreveu Hill em 1937 a respeito do MasterMind.

Em síntese, o grupo de MasterMind é uma aliança de pelo menos dois e até sete membros que se reúnem regularmente para apoiar metas, planos e ideias uns dos outros. Os membros trocam conselhos e recomendações – e algo mais. Hill acreditava que, quando um grupo de pessoas se une em espírito de harmonia, propósito e ajuda mútua, seja almejando um objetivo único, seja, como é mais comum, ajudando uns aos outros em objetivos individuais, os participantes não apenas fornecem conselhos e ideias, mas também agrupam seus intelectos de uma forma que incrementa as aptidões de todos.

Esse agrupamento mental, ensinou Hill, traz uma força adicional ao esforço dos indivíduos; isso é o MasterMind, um canal do que Hill chamou de Inteligência Infinita. MasterMind é Inteligência Infinita localizada. (Ele usou iniciais maiúsculas nesses termos, e eu mantive a prática neste livro.) Hill observou:

> Quando duas ou mais pessoas se coordenam em espírito
> de harmonia e trabalham rumo a um objetivo definido,
> por meio dessa aliança se colocam em posição de absorver
> o poder diretamente do grande reservatório universal da
> Inteligência Infinita. Essa é a maior de todas as fontes
> de poder. É a fonte a que o gênio recorre. É a fonte a
> que todo grande líder recorre (esteja ele consciente ou
> não do fato).

O filósofo transcendentalista Ralph Waldo Emerson abordou o processo de acessar uma mente superior em "A Superalma", um de seus ensaios mais importantes. Seu conceito de Superalma é, em certo sentido, o cerne da ideia de Hill.* Emerson poderia estar falando sobre o MasterMind quando escreveu:

* A obra clássica é explorada e anotada no Apêndice 1.

E assim, em grupos em que o debate é sério, e especialmente em questões elevadas, os participantes tornam-se conscientes de que o pensamento se eleva a um nível igual em todos os corações e de que todos têm uma propriedade espiritual no que foi dito, assim como quem falou. Todos tornam-se mais sábios do que eram.

O que faz um grupo?

No clássico *Think and Grow Rich*,[*] Napoleon Hill descreveu o MasterMind como "coordenação e esforço, em espírito de harmonia, entre duas ou mais pessoas para a realização de um objetivo definido".

Essa coordenação requer reuniões a intervalos regulares – trata-se não de encontros casuais, mas de reuniões programadas pelo menos uma vez por semana. Como observado, o grupo de MasterMind consiste em no mínimo dois membros e geralmente não mais do que sete para manter as coisas em ordem.[**] A função básica do grupo é apoiar e aconselhar os membros em suas metas individuais; dependendo da natureza do grupo, os membros também podem oferecer orações, meditações e visualizações uns aos outros. Entre as reuniões, os membros mantêm os desejos uns dos outros em mente com o maior apreço e incentivo possível. Embora um grupo de MasterMind possa enfocar uma única meta, geralmente apoia os planos, objetivos e necessidades individuais de cada membro.

[*] A Citadel Editora lançou no Brasil a versão original, em inglês, de *Think and Grow Rich*, bem como *Quem pensa enriquece – O legado*, a versão revista e atualizada pela Fundação Napoleon Hill. (N.T.)

[**] Esse limite de sete é recomendação de Napoleon Hill; na minha experiência, funciona bem. Todavia, é uma regra genérica, flexível com base na necessidade.

Hill escreveu sobre dois tipos de MasterMind. Um tem um único objetivo, como o grupo de Andrew Carnegie para a produção de aço ou o de Henry Ford para a fabricação de automóveis. O outro ajuda cada membro a alcançar uma meta ou objetivo pessoal. Os exemplos do livro *O manuscrito original – As leis do triunfo e do sucesso de Napoleon Hill* incluem os grupos de MasterMind estabelecidos por Ford, Thomas Edison e Harvey Firestone e pelos "Seis Grandes" de Chicago, compostos pelo magnata das gomas de mascar William Wrigley e outros cinco empresários de diferentes setores. Aqui enfoco o MasterMind que trabalha nos vários objetivos de cada membro, pois pode beneficiar muito mais pessoas.

Hill enfatizou que os grupos devem se reunir em um espírito de harmonia, afinidade pessoal e química. Não pode haver dissensão. Qualquer tipo de sectarismo, conflito ou fofoca dentro do MasterMind exaure suas energias. Se a harmonia prevalece, o grupo aumenta a criatividade, a intuição e as faculdades mentais de cada membro. Mas, se a aliança cai em atrito, não é mais valiosa do que um grupo de estranhos batendo papo – não vale o tempo gasto.

Por isso, você deve selecionar cuidadosamente os membros do seu grupo de MasterMind, enfatizando a afinidade pessoal, os valores compartilhados e o zelo pela cooperação. Qualquer tipo de mesquinhez, bate-boca ou discussão política (sempre mantenha a política de fora) vai sufocar a eficácia do MasterMind.

A menos que você seja convidado a participar de um grupo existente ou já faça parte de um, talvez seja necessário montar um grupo. Ao escolher os membros do seu grupo de MasterMind, você deve ser determinado e seletivo: não é o momento de "dar uma chance a alguém" sem motivo ou permitir que alguém entre porque você tem vergonha de dizer não. Cortesia e química são vitais – é preciso escolher seus companheiros com cuidado.

Ao mesmo tempo, Hill insistiu que você também deve fazer um inventário do que pode trazer para o grupo. Ele escreveu:

> Antes de formar sua aliança de MasterMind, determine quais vantagens e benefícios *você* pode oferecer aos membros de seu grupo em troca da cooperação. Ninguém vai trabalhar indefinidamente sem alguma forma de compensação. Nenhuma pessoa inteligente vai pedir ou esperar que outra trabalhe sem uma compensação adequada, embora esta nem sempre seja na forma de dinheiro.

Uma parte significativa da "compensação" que você dá aos outros membros é a sua participação vigorosa. Você faz parte de uma rede mútua. Isso envolve não apenas comparecer, fazer rodízio nas posições de liderança (como será explorado no Capítulo 2) e contribuir com ideias para as reuniões, mas também ouvir de verdade o que seus parceiros de MasterMind precisam, e não somente ficar esperando para falar. Isso significa deixar seus equipamentos de lado e nunca permitir que seus parceiros de MasterMind escutem pelo viva voz os cliques reveladores dos seus dedos em um teclado enquanto você responde a e-mails durante as reuniões. Essas reuniões requerem toda a sua atenção – essa é a verdadeira compensação que você vai dar a seus parceiros.

Por que este livro agora?

Uma vez que Hill insistiu que existem potência e possibilidades tremendas em uma aliança de MasterMind bem organizada, neste livro vamos explorar por que isso acontece, como montar, administrar e manter seu grupo e como obter o máximo dele. Muitos dos conceitos deste livro se baseiam em *Think and Grow Rich* – uma leitura essencial. Se você ainda não leu ou precisa refrescar a memória, pode pular para o Capítulo 6, que é um resumo confiável do livro de referência de Hill, ainda que não um substituto para ele.

Deixe-me dizer uma palavra sobre por que este livro é necessário agora e por que chamei o MasterMind de etapa mais negligenciada do programa de sucesso de Hill. No mundo digital distanciado de hoje, é fácil demais pular ou evitar o processo fundamental de formar uma aliança com outras pessoas. De fato, a participação em grupos cívicos e fraternos, de câmaras de comércio a lojas maçônicas, está caindo em todo o país. Quando eu era garoto, na década de 1970, no Queens, em Nova York, meu pai era membro dos Cavaleiros de Pítias, e a maioria dos vizinhos tinha alguma afiliação semelhante; todavia, conheço poucas pessoas da minha geração que pertencem a ordens fraternas que outrora pontilhavam nossa nação e proporcionavam coesão adicional aos bairros. Até mesmo as associações de pais e mestres lutam para atrair voluntários. Não somos mais uma nação de associados voluntários.

A menos que seja um membro de um grupo de doze passos ou de apoio – um modelo maravilhoso de uma espécie de MasterMind em ação, como vamos explorar –, você provavelmente está acostumado a uma abordagem "vá sozinho", não querendo compartilhar intimidades com os outros ou esticar sua rotina já ocupada para acomodar mais uma reunião. Muitos de nós sentimos que o sucesso é uma questão de princípio interior e esforço individual, e uma reunião de grupo parece sem graça ou supérflua. Entendo esses sentimentos; às vezes também luto com eles.

Mas posso garantir pessoalmente, como escritor e historiador que estudou os métodos de Hill por anos e que tem sido um membro dedicado de um grupo de MasterMind desde o outono de 2013, que devo muito do meu sucesso a esse processo. Essa etapa é tão vital hoje quanto na época em que Hill fez do MasterMind o tópico do capítulo de abertura de seu primeiro livro, *O manuscrito original*, em 1928. Naquela ocasião, Hill escreveu:

> Nesta Introdução, você encontrará a descrição de uma recém-descoberta lei da psicologia que é a pedra fundamental de todas as realizações pessoais notáveis. Essa lei é referida pelo autor como "MasterMind", significando uma mente desenvolvida mediante a cooperação harmoniosa de duas ou mais pessoas que se aliam com o objetivo de realizar qualquer tarefa determinada.
>
> Se atua em vendas, você pode lucrar experimentando o MasterMind em seu trabalho diário de forma proveitosa. Verificou-se que um grupo de seis ou sete vendedores pode usar a lei de forma tão eficiente que suas vendas podem ser aumentadas em proporções inacreditáveis.

24 O poder do MasterMind

Se você acha que Hill estava exagerando ou aplicando uma mera conversa de vendedor, indico os testemunhos autênticos e recentes que aparecem no Capítulo 3, no qual você pode ler descrições semelhantes e muito específicas de pessoas que talvez tenham um trabalho muito parecido com o seu. Quando concluir este livro, você entenderá por que Hill escreveu em *Think and Grow Rich*: "O cumprimento dessa instrução é absolutamente essencial".

As práticas de MasterMind hoje

Outra característica de nossa era cibernética é que amigos e colaboradores muitas vezes vivem e trabalham a grande distância uns dos outros. Meu grupo de MasterMind está disperso de New Hampshire ao sul da Califórnia. Isso não é uma barreira. Para fazer a ponte entre as regiões geográficas e os fusos horários, estruturamos as coisas da seguinte maneira: os cinco participantes, todos dotados de natureza solidária, bom humor e valores espirituais,* reúnem-se por teleconferência com hora marcada uma vez por semana. Nem todos estão em todas as conferências semanais, embora a participação plena seja o ideal buscado.

Começamos lendo uma breve declaração de princípios, que será analisada no próximo capítulo, depois cada participante conta uma boa notícia pessoal da semana anterior. A seguir cada um descreve seus

---

* Embora os membros de meu grupo venham de diferentes contextos religiosos, a maioria se aglutina em torno de uma crença arraigada nos poderes causativos da mente, um senso compartilhado de fé religiosa e uma prática comum de oração, afirmações, literatura inspiradora e meditação. Isso nos dá um alicerce de linguagem, hábitos e pontos de referência familiares que respaldam a identidade de nosso grupo. No entanto, é desnecessário que um grupo seja de natureza espiritual, como será explorado.

desejos e necessidades para aquela semana. Depois que um participante expressa seus desejos e necessidades, cada membro do grupo oferece conselhos, ideias, incentivo e, muitas vezes, orações ou outras formas de apoio. A conferência costuma durar de meia hora a 45 minutos.

Para uma teleconferência eficiente e organizada de MasterMind, é especialmente importante:

1. Dar início à reunião de MasterMind na hora;
2. Começar imediatamente, evitando conversa fiada e tagarelice;
3. Limitar a reunião a uma hora ou menos, de preferência não mais do que 45 minutos.

A duração das reuniões pode variar de acordo com o tamanho do grupo. Participei de reuniões de MasterMind bem completas, com cinco pessoas, que terminaram em rigorosos 35 minutos. As reuniões não são apressadas, mas precisas. A brevidade e a ausência de falatório ajudam a evitar o extravio da atenção ou as olhadas no relógio quando os membros são pressionados pelo tempo. Conduzir as reuniões com rapidez também evita sensações de atrito ou ansiedade quando um membro tem mais tempo ou flexibilidade ou simplesmente mais tolerância para reuniões do que outro.

Todos nós temos reuniões suficientes em nossas vidas. A maioria é desnecessária. O MasterMind, pelo contrário, deve ser vital e potente; assim, seu trabalho deve ser bem definido e preciso. O encontro de MasterMind por natureza é uma experiência não prolongada, mas vivificante. Os membros devem aguardar ansiosos toda semana. Essa aliança colaborativa, se executada com propósito e harmonia, no devido tempo produzirá os resultados extraordinários aos quais Hill aludiu em 1928.

Posso dizer com toda a honestidade que meu grupo de MasterMind – e você verá o testemunho dos membros – se provou um dos aspectos mais úteis e dinâmicos da vida de cada participante. Nossas reuniões me estabilizam quando saio da rota, proporcionam novas perspectivas em questões profissionais e pessoais, ajudam a identificar certos temas – positivos e negativos – em minha vida, dão apoio durante períodos de crise e adicionam vivacidade à minha semana de trabalho, fazendo com que me sinta mais energizado e capacitado após cada teleconferência.

De fato, Hill observou que o indivíduo pode se sentir "elevado" por horas após uma reunião de MasterMind. Há também benefícios práticos na esfera profissional, com análise de questões econômicas ou de carreira, troca de ideias sobre a abordagem de novos clientes ou consumidores e conselhos sobre como resolver os inevitáveis atritos do local de trabalho.

Hill acreditava que o MasterMind estava por trás de virtualmente todo sucesso, quer o beneficiário soubesse ou não. "Essa forma de aliança cooperativa", escreveu ele, "é a base de quase todas as grandes fortunas."

E, como mencionado, há algo maior em jogo. Em *Think and Grow Rich*, Hill escreveu: "Duas mentes jamais se juntam sem com isso criar uma terceira força invisível e intangível que pode ser comparada a uma terceira mente". Para ele, essa era a "fase psíquica" do MasterMind, na qual a mente pode ser comparada a uma energia que, quando combinada com o intelecto de outros, engendra intuições, *insights*, pressentimentos e previsões amplificados.

Todos os participantes de um grupo de MasterMind, ensinou Hill, adquirem perspicácia intensificada por meio da mente subconsciente conjunta e do acesso à Inteligência Infinita. Isso produz um estado imaginativo e mental mais vívido, no qual novas ideias "lampejam" na consciência, e você detecta novos padrões e oportunidades, bem como o funcionamento interno das coisas. Também é a experiência do que Emerson denominou de Superalma.

Caso você esteja pronto para dar o salto para essa forma de pensar, posso prometer que o MasterMind desempenhará um papel inestimável e prático em todos os aspectos de sua busca pela realização.

Certa vez descrevi *Think and Grow Rich* em uma única frase, que poderia abranger todo o trabalho de Hill: "Pensamento carregado de emoção direcionado a uma meta sustentada com paixão – auxiliado por planejamento organizado e pelo MasterMind – é a raiz de toda realização". (Caso algum de meus termos não seja familiar, pule para o Apêndice 2, no qual defino as dezesseis leis do sucesso de Hill.) Isso dá uma noção adicional do quanto o MasterMind é central no sistema de Hill.

A genialidade do trabalho de Hill é que nenhuma de suas etapas é supérflua. Nenhuma delas é opcional, mesmo que pareça familiar ou que você ache que já fez no passado ou que de alguma outra forma domina. Sempre pense duas vezes; nossas autoavaliações costumam nos enganam ou bajular, e nossos hábitos, a menos que monitorados de perto, inclinam-se a atalhos e inércia.

Quando encontro amigos em necessidade, costumo dar uma cópia de *Think and Grow Rich* com a seguinte advertência: "Você deve fazer todos os exercícios como se sua vida dependesse disso". Se existe um "segredo" para trabalhar com as ideias de Napoleon Hill, é este: nada é "extra" e nada – nunca – é "apenas para iniciantes". Ao ler seu trabalho ou relê-lo – o que faço pelo menos uma vez a cada ano –, *somos todos iniciantes*. Precisamos abordar o programa de Hill com um novo olhar e nos dedicar com empenho total. Essa abordagem vai auxiliá-lo de mais maneiras do que você possa suspeitar.

A meta deste livro é ajudá-lo a realizar esse exercício vital – aproveitar a potência e a força mental de uma aliança de MasterMind – de uma maneira que garanta os benefícios da técnica de Hill. Eu vejo o MasterMind como o agente aglutinador por trás de todas as ideias de Hill e acredito que ele também via assim. Quando usar corretamente essa força, você vai descobrir uma das práticas mais importantes de sua vida.

COMO CONDUZIR O SEU MASTERMIND?

Meu MasterMind se reúne por teleconferência – esse é um método conveniente para o nosso grupo geograficamente disperso e para pessoas ocupadas em geral. Mas também dá para se reunir pessoalmente, ainda mais se seus companheiros de grupo também são colegas de trabalho ou moram perto. No próximo capítulo, você conhecerá um corretor de imóveis bem-sucedido que mantém dois grupos de MasterMind presenciais nos escritórios de sua firma em Massachusetts.

Seja cara a cara, por vídeo, seja por teleconferência, é importante que suas reuniões ocorram em tempo real, para facilitar palpites e ideias, além de atender pedidos de ajuda pessoal. Se, por qualquer motivo, uma reunião em tempo real for temporariamente impossível, você pode usar outros meios digitais para manter contato. O único fator indispensável é a *harmonia de grupo*. Deve haver afinidade pessoal, valores compartilhados e química. Ao determinar a logística e o meio de comunicação, busque o elemento de camaradagem acima de tudo o mais, mesmo que isso signifique abrir mão da intimidade de uma reunião pessoal por um encontro digital.

Depois de ter montado seu grupo de duas a sete pessoas, você deve ter em conta a inevitabilidade de certas pessoas entrarem e saírem. É da natureza humana que algumas se comprometam com um encontro e depois se afastem, participando de vez em quando ou nunca. O objetivo deve ser que os membros mantenham participação o mais constante possível. Se você não conseguir manter sua palavra sobre estar em algum lugar, é improvável que vá até o fim na maioria das coisas na vida, incluindo o programa de Hill. Exorto as pessoas a não verem o MasterMind como um compromisso casual, como uma festa ou café, a ser mantido ou descartado com base na conveniência, pensando que os "outros" irão manter as coisas funcionando. Assim como você deve cuidar do fogo se quer o calor de uma fogueira, se você quer os benefícios pessoais de uma aliança de MasterMind, sua presença regular é a única maneira de obtê-los.

Também é tentador, para os membros, pular uma reunião quando tudo está indo bem para eles e retornar quando precisam de um impulso. Isso também é um erro. Para que a atmosfera do grupo esteja presente quando você precisar, você deve "colocar lenha na fogueira" de forma responsável durante períodos de satisfação e tranquilidade. Além do mais, aqueles que precisam do seu apoio dependem de sua participação constante.

Fazer parte de um grupo MasterMind é um compromisso ético. O MasterMind é um grupo de apoio íntimo. Então, uma vez que tenha se comprometido, você deve estar lá – e chegar na hora. Ausências ou atrasos demonstram que as reuniões e as necessidades de seus companheiros são secundárias. Assim, sua presença e pontualidade devem ser constantes, exceto nos períodos em que a saúde, a família ou as exigências do trabalho demandem sua atenção.

Caso eu soe um pouco severo demais a respeito de tudo isso, deixe-me observar também que não cabe a mim julgar outro participante de um MasterMind. As pessoas têm suas vidas e necessidades, e um espírito de delicadeza amistosa e de companheirismo deve prevalecer. É uma faceta natural da natureza humana que alguns membros passem a representar o "núcleo" do grupo e outros participem em intervalos de tempo. Alguns também se afastarão. Aceite isso e mantenha seu grupo convivendo em harmonia. Desde que tenha um quórum de dois, você cumpre o básico.

A arte da persistência

Deixe-me acrescentar mais uma qualidade a buscar nos potenciais participantes de um MasterMind: persistência, mas de um tipo específico. "Quando você começar a selecionar membros para o seu grupo de MasterMind", escreveu Napoleon Hill, "empenhe-se para selecionar aqueles que não levam a derrota a sério." Hill era categórico de que toda pessoa batalhadora vai experimentar períodos de "derrota temporária" e também deparar com situações – provavelmente muitas vezes – que exigem uma reformulação completa dos planos. Hill escreveu o seguinte em *Think and Grow Rich*:

Se o primeiro plano que você adotar não for bem-sucedido, substitua-o por um novo plano; se o novo plano não funcionar, substitua-o por outro, e assim por diante, até encontrar um plano que funcione. É bem aqui que a maioria dos homens depara com o fracasso, por causa da falta de persistência na criação de novos planos para ocupar o lugar daqueles que falham.

O homem mais inteligente do mundo não pode ter êxito em acumular dinheiro – nem em qualquer outro empreendimento – sem planos práticos e viáveis. Apenas mantenha esse fato em mente e, quando seus planos falharem, lembre-se de que derrota temporária não é fracasso permanente. Pode significar apenas que seus planos não eram sólidos. Faça outros planos. Comece tudo de novo.

No primeiro livro da série Curso do Sucesso Napoleon Hill, *The Miracle of a Definite Chief Aim* (O milagre de um objetivo principal definido), discuti "a arte da persistência inteligente". Persistência não significa obstinação, teimosia ou recusa em fazer concessões. Na verdade, persistir em uma situação ou atividade que se mostra infrutífera ao longo do tempo pode levar a um fracasso permanente.

Uma vez perguntei ao cineasta David Lynch, criador de *Twin Peaks, Mulholland Drive* e outros projetos de TV e cinema influentes e bem-sucedidos, como ele soube que estava no caminho certo quando era um jovem artista e mudou seu foco da pintura, que tinha estudado na faculdade, para os filmes. "Eu recebia sinais verdes", disse ele.

A partir de certo ponto, você deve receber "sinais verdes" – indicativos de que está agindo certo e que seu trabalho está atingindo a meta. Senão, é hora de reexaminar e reformular os planos. Trata-se não de desistir ou de abandonar seu objetivo, mas de arrumar as coisas. Talvez você tenha perdido algo ou tenha feito uma suposição incorreta. Seus parceiros de MasterMind estão lá para ajudá-lo nisso.

Um caso assim aconteceu comigo na exata tarde de julho de 2017 em que escrevi estas palavras. Na ocasião, com a ajuda do MasterMind, cheguei a uma conclusão sobre uma mudança que precisava fazer em minha vida. Após uma discussão com Liam O'Malley, meu colega de MasterMind a quem este livro é dedicado, percebi que havia algo errado com meus esforços profissionais para estourar na televisão como roteirista e apresentador. Com frequência tinha argumentos de não ficção sob avaliação e tive contratos de exclusividade com a ABC e outras redes. No entanto, por cerca de dez anos, meus esforços falharam em dar frutos. Resolvi encarar os motivos.

Depois de conversar com Liam, escrevi o seguinte na margem de um de meus exemplares de *Think and Grow Rich*, ao lado do trecho de Hill sobre revisar os planos que citei acima: "Meus planos para a TV não foram sólidos, estou em conflito. Preciso de uma nova visão do que funcionará e do que é certo/compatível com meus ideais". Foi uma percepção difícil, mas libertadora. Não posso entrar em detalhes completos aqui, mas a televisão é um lugar difícil para se explorarem, de forma série e íntegra, ideias esotéricas e espiritualidade prática, meus interesses pessoais. A questão não é abandonar o meio, mas repensar seriamente quais locais e formatos se encaixam com esses valores. Ou decidir, aconteça o que acontecer, avançar lutando, como Rod Serling fez com *The Twilight Zone*, para lançar um programa inédito; no meu caso, um programa de não ficção tratando do esotérico e metafísico, o que ultrapassa a norma. Esse é o tipo de coisa que meus colegas de MasterMind me ajudam a examinar. Eles entendem que um sonho requer fibra e esforço constante, não aceitam uma retirada e me ajudam a ver novas opções.

Resumindo, persistência inteligente e flexibilidade, não persistência cega, são a marca de uma pessoa produtiva e bem-sucedida. Busque essas qualidades ao procurar seus colegas de MasterMind. Seu parceiro ideal é alguém que não desanima facilmente e que também está disposto, sem constrangimento ou resistência excessiva, a reconsiderar suposições, crenças e planos previamente estabelecidos.

Conduzindo o encontro

A estrutura básica das reuniões deve ser bem simples. Recomendo que cada grupo selecione um líder rotativo do MasterMind para presidir o encontro e manter tudo fluindo livremente. A liderança deve mudar toda semana, com cada membro assumindo a intervalos regulares.

Aqui estão os passos que meu grupo de MasterMind utiliza:

1. O líder semanal deve abrir o encontro lendo um conjunto de princípios do MasterMind, conforme sugerido imediatamente após esta lista. (Você pode modificar os princípios para atender às suas necessidades.)

2. Depois de ler os princípios do MasterMind, um membro de cada vez conta uma "boa notícia" pessoal da semana passada. Os participantes podem reagir à notícia com ideias,

incentivo ou sugestões. Isso é para manter o grupo focado no progresso de seus participantes e atento ao que cada um é grato. É notável a facilidade com que perdemos de vista as conquistas.

3. Depois que todos tiverem relatado as boas notícias da semana anterior, é hora de declarar metas para a próxima semana. No meu grupo, chamamos isso de "desejos e necessidades da semana". De novo cada membro fala na sua vez e especifica os desejos e necessidades da semana para os quais requer apoio, conselhos, orações, etc. (Geralmente é um item-chave, mas pode ser mais de um.)

4. Isso nos leva à parte crucial da reunião: depois que um integrante expressa seus desejos ou necessidades para a semana, um membro de cada vez responde com comentários construtivos, sugestões, ideias e talvez recomendações de meditações, visualizações, orações ou afirmações que possam ajudar. Isso acontece depois que cada membro fala. Por exemplo, eu poderia descrever a necessidade de cumprir um prazo para um texto, e depois todos responderiam. A pessoa seguinte talvez falasse de uma meta de vendas, e o grupo responderia – e assim por diante. Espera-se que, durante a semana, todos os membros do MasterMind mantenham os desejos e necessidades dos demais em mente. Mais uma vez, dependendo da natureza do grupo e de com o que os membros se sentem confortáveis, o período intermediário pode ser marcado por visualizações, meditações, afirmações

e orações de cada participante para os demais. Conselhos econômicos concretos, criativos e de negócios também são oferecidos. (Tudo isso geralmente ocorre durante a reunião, mas não só nela – pode-se manter contato no período intermediário, um tópico que abordarei mais adiante.)

5. Dependendo dos minutos restantes, dá para deixar um tempo no final da conferência para perguntas de membros do grupo que precisem de ajuda adicional em um assunto ou problema específico. Às vezes alguns membros podem permanecer *on-line* depois que outros saem para trocar uma palavra pessoal sobre alguma coisa.

6. A reunião deve estar concluída em 45 a sessenta minutos. Uma reunião eficaz pode durar apenas meia hora.

A importância da privacidade

Devo dizer uma palavra sobre confidencialidade. Os encontros de MasterMind devem ser entendidos como uma comunhão sagrada, como os de um grupo de apoio ou de doze passos (que têm relação com o fenômeno do MasterMind, conforme explorado no Capítulo 4). É vital os membros esperarem confidencialidade do grupo. As reuniões de MasterMind costumam abordar questões de carreira e finanças, mas também podem abranger necessidades pessoais, incluindo relacionamentos, vida doméstica, recuperação, questões éticas e por aí vai. As discussões devem fluir livremente – e em particular.

Você conhecerá intimamente seus parceiros de MasterMind. É fundamental nunca discutir, revelar ou divulgar indevidamente assuntos da vida de outro membro com alguém de fora. Dentro do grupo de MasterMind, suas discussões, que também podem ocorrer informalmente entre as reuniões, devem ser inteiramente construtivas e úteis. Nunca descambe para a fofoca sobre membros do grupo ou outros. Isso destruirá o MasterMind e impedirá seu desenvolvimento pessoal.

A confidencialidade e o caráter construtivo não só são essenciais para o seu grupo, como também a atitude de evitar boatos e fofocas no geral é vital para seu senso mais profundo de eu e sua existência como um ser ético. Por isso, antes de examinarmos a leitura dos princípios do MasterMind, peço que considere assumir o seguinte compromisso pessoal.

HORA DA AÇÃO
O compromisso de não fofocar

Tudo tem um polo oposto. O polo oposto da criatividade e da produtividade do grupo de MasterMind é o pacto negativo em que você escorrega quando ouve ou espalha fofocas, rumores e boatos. Essas atividades degradam sua existência e seu senso de autodeterminação, enquanto o MasterMind constrói. Cada vez que você mancha o caráter de outrem ou escuta boatos passivamente, deprecia sua pessoa de modo proporcional à fofoca ou ao boato espalhado. Você de fato pode sentir isso como a exaustão e inquietação que experimenta (e talvez tente negar) cada vez que espalha ou ouve um boato sobre alguém.

Aqui está uma medida incrivelmente poderosa para aguçar suas habilidades mentais e criatividade e garantir que você mantenha o tipo certo de alianças. Também vai energizar, melhorar e trazer mais paz para sua vida. Você vai dormir melhor. Vai experimentar mais autorrespeito. Ficará mais produtivo.

Tudo se resume às seguintes palavras: *pare de fofocar*.

Leia essas palavras de novo. E de novo. Grave-as na memória.

Fofocar, falar mal dos outros, espalhar ou escutar rumores são uma névoa que obscurece sua vida tanto quanto a vida daqueles que são difamados. "Mas só estou dizendo a verdade!", objetamos. Não é bem assim. Praticamente todo rumor que ouvimos ou repetimos é falso, semiverdadeiro ou atenuado por circunstâncias graves das quais não temos conhecimento.

Os antigos gregos alertaram para o respeito à privacidade do vizinho: "Zeus odeia intrometidos", escreveu o dramaturgo Eurípides. No judaísmo, nenhum pecado exceto assassinato é considerado pior do que falar mal dos outros, ou *lashon hara*, hebraico para "língua maldosa". Os escritores metafísicos modernos têm ponto de vista semelhante: "O que o homem diz dos outros será dito dele", escreveu Florence Scovel Shinn, do movimento do Novo Pensamento. Neville Goddard, teórico do poder da consciência, ensinou que toda conversa concretiza a realidade tanto para quem fala quanto para aquele de quem se fala.

Rejeitar a fofoca é cada vez mais urgente no mundo de hoje, em que uma enorme quantidade de entretenimento é baseada em calúnia e piadas cruéis. Radialistas sensacionalistas, *reality shows* de TV, programas de entrevistas políticas, redes sociais sarcásticas e muito do que nos chama a atenção envolvem humilhar os outros.

Ao dizer não à fofoca, você não apenas contribui para uma casa e local de trabalho melhores, como também *se torna* uma pessoa mais nobre. Você se torna um líder.

Aproveite este momento para fazer um voto pessoal de abster-se de fofoca. Repita-o todas as manhãs, se necessário. Fazer o voto e cumpri-lo será um ponto de virada em sua vida e seus relacionamentos.

Princípios do MasterMind

A reunião semanal de MasterMind deve começar com uma leitura dos princípios e objetivos do grupo. Isso é mais do que uma formalidade – representa um compromisso com os ideais mais elevados e um juramento de cada participante.

O estrategista militar Harry G. Summers (1932–1999) fez um comentário interessante sobre a importância de nossos compromissos formais. Oficial de longa data, o coronel usou como exemplo a derrota dos Estados Unidos no Vietnã, que contém uma sabedoria negligenciada que poderia servir para todo mundo hoje, seja qual for a trajetória ou busca pessoal.

Homem brusco e erudito, Summers argumentou que o Exército dos Estados Unidos tinha condições de derrotar o Vietnã do Norte. Nenhuma das circunstâncias contrárias era intransponível, e de fato as forças norte-americanas quase sempre prevaleceram no campo de batalha. Então, do ponto de vista militar, o que deu errado?

A dura verdade, argumentou Summers, é que a liderança política da nação nunca tentou construir um "consenso moral" para a guerra. O presidente nunca pediu ao Congresso uma declaração oficial de guerra, que muitos legisladores consideravam uma formalidade ultrapassada. Porém, sem uma declaração formal respaldada pelo processo político, o público como um todo nunca apoiou plenamente o conflito. Assim, os formuladores de políticas careciam de consentimento e mandato para autorizar um esforço esmagador, confiando em vez disso na noção quimérica (e fracassada) de uma "guerra limitada". O resultado foi um atoleiro, carnificina e confusão moral.

Sem um mandato, os legisladores – e os militares – ficaram de mãos amarradas. Ano após ano, a liderança política dos Estados Unidos autorizou o Exército a prosseguir aos trancos e barrancos em um esforço hesitante, que desgastava a opinião pública em casa e frustrava os comandantes no campo. O ingrediente em falta, argumentou Summers, foi o compromisso.

O que funciona na estratégia militar também funciona na recuperação, na motivação e na autoajuda. Você deve "ir para cima com tudo", selecionar uma meta ou um conjunto de princípios aos quais pode se dedicar com um comprometimento sem reservas – ou não fazer coisa nenhuma.

Por isso, acredito firmemente em abrir cada encontro com a leitura formal dos princípios do MasterMind como uma afirmação de propósito, direção comum e dedicação. Liam O'Malley, que, como já mencionei, me convidou para entrar em um grupo de MasterMind pela primeira vez, imbuiu esse valor em mim. Músico talentoso e vendedor à moda antiga, Liam me ensinou que um dos pontos mais importantes e críticos do MasterMind semanal é nossa leitura dos princípios. Quase nunca pulamos essa parte.

Abaixo estão os princípios lidos em voz alta pelo líder no início de cada um de nossos encontros. Esses princípios são adaptados das excelentes diretrizes da consultoria LifeSuccess, do *coach* Bob Proctor, para compor um grupo de MasterMind. Seja flexível, ajuste-as às suas necessidades e perspectivas. Mas tente capturar a sensação e a ética.

Os princípios do MasterMind

EU LIBERO

Eu me libero para o MasterMind porque sou forte quando tenho outros para me ajudar.

EU ACREDITO

Eu acredito que a inteligência combinada do MasterMind cria uma sabedoria muito além da minha.

EU ENTENDO

Eu entendo que vou criar resultados positivos em minha vida com mais facilidade quando estiver aberto para olhar para mim mesmo, para meus problemas e oportunidades do ponto de vista de outra pessoa.

EU DECIDO

Eu decido liberar meu desejo totalmente aos cuidados do MasterMind e estou aberto a aceitar novas possibilidades.

EU PERDOO

Eu me perdoo pelos erros que cometi. Também perdoo os outros que me magoaram no passado, para que eu possa avançar para o futuro limpo de tudo isso.

EU PEÇO

Eu peço ao MasterMind que ouça o que eu realmente quero – meus objetivos, meus sonhos e meus desejos – e ouço meus parceiros de MasterMind me apoiando em minha realização.

EU ACEITO

Eu sei, relaxo e aceito, acreditando que o poder do MasterMind responderá a todas as minhas necessidades. Eu sou grato sabendo que é assim.

DEDICAÇÃO E PACTO

Eu agora tenho um pacto no qual fica combinado que o MasterMind me suprirá com abundância de todas as coisas necessárias para viver uma vida feliz e cheia de sucesso. Dedico-me a prestar o máximo a serviço de Deus e dos meus semelhantes, a viver de uma maneira que dará o exemplo mais elevado para os outros seguirem e a permanecer um canal aberto da vontade de Deus. Eu vou em frente com um espírito de entusiasmo, empolgação e expectativa.

Você descobrirá que o ritual semanal de leitura dos princípios, compartilhado pelo líder de cada semana, traz uma sensação de solidariedade e entusiasmo à reunião. O ritual faz você lembrar o propósito mais elevado do grupo e reforça sutilmente sua fé nos meios de ajuda do grupo. Leve isso tão a sério quanto faria com uma promessa pessoal.

HORA DA AÇÃO
O que os princípios significam para você

Leia os princípios do MasterMind cuidadosamente. Determine como você se relaciona pessoalmente com cada um. Algum deles precisa de alteração ou ajuste? Esses são os *seus* princípios; contanto que você capture o espírito geral, eles são flexíveis.

Reflita sobre cada um dos tópicos. Pense em maneiras pelas quais você quer viver de acordo com as diretrizes e em como seus parceiros de MasterMind podem ajudá-lo. Entre na reunião sentindo que, quando você recita ou ouve os princípios, eles realmente falam ao seu coração, e você tem uma clara noção mental e ética do que esses ideais significam para você.

Codinomes

Existem formas adicionais de forjar a identidade do grupo. Meu MasterMind tem um artifício singular: quando nos encontramos, cada um de nós usa nomes baseados em personagens de filme favorito – seres que captam algo sobre nossas esperanças, ideais e lutas. Meu nome, por exemplo, é David Dunn, personagem principal do assombroso e complexo *thriller* de M. Night Shyamalan *Corpo fechado*. O personagem ressoou em mim em vários níveis. Outro de nossos membros usa Balboa, já que o herói dos filmes *Rocky* é uma fonte de inspiração para ele.

44   O poder do MasterMind

Ao escrever este livro, perguntei a Liam, fundador do nosso grupo: "Por que você pediu para escolhermos personagem de filmes? E como você escolheu seu nome, Broadsword?". Ele respondeu:

> De início foi uma brincadeirinha, mas acabou assumindo um significado especial. Eu era o amigo em comum dos quatro membros originais e achei que o uso de "codinomes" em nossa teleconferência poderia fortalecer a ideia de um grupo reunido em uma missão especial – encorajar e apoiar uns aos outros. Durante minha recuperação de uma grande cirurgia, eu havia descoberto os filmes incríveis do tipo "grupo disparatado se junta contra todas as probabilidades", baseados nos romances de Alistair Maclean *O Desafio das águias*, *Os canhões de Navarone* e *Estação polar Zebra*. Broadsword e Danny Boy [dois dos nomes em nosso grupo] são codinomes de comunicação por rádio usados em *O desafio das águias*. Escolhi Broadsword, e os demais seguiram o exemplo com um nome significativo para eles. Acho que o uso dos nomes nos faz lembrar nosso papel especial nessas conferências, de que estamos, em um sentido muito real, juntos em uma missão.

Tudo isso pode parecer um pouco Dick Tracy e seu relógio-rádio para você – e não estou sugerindo que essa abordagem sirva para todo mundo. Mas considere se há maneiras de personalizar seu grupo e dar um senso de missão ao que vocês estão fazendo. A leitura dos princípios ajuda nisso. Talvez todos recebam um símbolo da associação, como uma carta de meditação, uma pedra polida ou um conjunto de princípios emoldurados. Talvez o grupo tenha seu hino ou música, como "Just One Victory", de Todd Rundgren, "I Won't Back Down", de Tom Petty, ou "That's Life", de Frank Sinatra (ou talvez você esteja pensando que eu precise ampliar meu gosto musical).

Considere a abordagem descrita por John Gilmore, ministro e diretor espiritual do Centro Espiritual do Coração Aberto em Memphis, Tennessee:

> Nosso grupo de MasterMind teve início em outubro de 2016. Começamos o grupo porque vários de nós do Centro Espiritual do Coração Aberto já trabalhavam por conta própria ou estavam prestes a iniciar algum empreendimento. Queríamos apoiar uns aos outros. A energia de nosso grupo nos motivou a fazer uma festa "Aja como se" para celebrar o Ano-Novo. Dois membros alcançaram alguns de seus objetivos e com isso acabaram se mudando para a Califórnia. Outro abriu dois negócios e está obtendo sucesso com ambos. Eu implementei o sonho de longa data de ser operador de câmbio. Usamos alguns processos diferentes, como estabelecer uma rotina matinal, e recentemente exploramos a ideia de cada um convocar um grupo de personagens históricos inspiradores, como Hill fez.[*] No geral o processo está funcionando. Estamos reduzidos a quatro integrantes, mas à procura das pessoas certas para adicionar.

---

[*] No Capítulo 7, descrevo como Hill usou essa prática.

Festas, interpretação de papéis, conversas imaginárias com figuras históricas eminentes – faça o que quer que pareça *natural*, inclusive não fazer nada desse tipo. Os objetivos são fazer com que seu grupo de MasterMind tenha a sua cara e ajudar todos os integrantes a experimentar um senso de vínculo, pertencimento e participação compartilhada no sucesso uns dos outros.

VOZES DO MASTERMIND

É importante ouvir as pessoas envolvidas em grupos de MasterMind; as experiências delas se tornarão suas. Assim, a leitura desses breves relatos dá início ou aprofunda sua jornada no processo do MasterMind.

O poder da confiança

Vou começar com alguém que a esta altura você já sabe quem é: Liam O'Malley, que fundou meu grupo de MasterMind em 2008 e me deu as boas-vindas a ele em 2013. Liam é na realidade o responsável por este livro e pela existência do nosso grupo. Seus comentários destacam um conjunto especial de valores que animam e dão poder à nossa aliança de MasterMind:

Fui apresentado ao conceito de MasterMind em *Think and Grow Rich*, de Napoleon Hill. Um bom amigo e gerente de vendas na época também era um grande fã do livro. Nós dois lemos a obra várias vezes, e frequentemente nos referíamos a trechos dela.

Durante a difícil recuperação de uma grande cirurgia, tive a ideia de começar um grupo de MasterMind com esse amigo e mais um outro que também atuava em vendas. Fiz uma pesquisa na internet sobre Napoleon Hill e grupos de MasterMind e descobri vários *sites* e fóruns com diretrizes sobre como organizar um grupo e conduzir as reuniões. Essas diretrizes geralmente incluíam "Os princípios do MasterMind" e recomendavam sua leitura na abertura dos encontros.

Nosso grupo de MasterMind evoluiu a ponto de cada membro ser completamente franco e honesto sobre seus medos, fracassos e ansiedades mais profundos – sentimentos e emoções que muitas vezes não conseguimos compartilhar com familiares, amigos, colegas ou profissionais. Sabemos que seremos ouvidos sem ser julgados. Cientes disso, ficamos livres para expressar o que realmente queremos e do que precisamos. Podemos revelar honestamente no que precisamos de ajuda, conselhos, inspiração e encorajamento e podemos pedir confiantes de que o MasterMind ajude na realização de desejos. Isso permite aos outros membros recorrer à experiência pessoal para oferecer conforto, apoio, conselhos e encorajamento.

Saber que os seus parceiros de MasterMind realmente querem que você leve uma vida feliz e cheia de sucesso abre sua mente para novas possibilidades – uma nova maneira de abordar um problema, um método para lidar com um desafio ou uma prática espiritual para desenvolver força interior. Estamos juntos para compartilhar nossos sucessos – muitos dos quais relacionamos diretamente a algum conselho ou encorajamento recebido durante uma conferência de MasterMind – e para compartilhar nossas esperanças e sonhos, sabendo que nossos parceiros de MasterMind nos apoiarão para alcançá-los.

Nem sempre é fácil se expor da maneira como nos expomos em nossas teleconferências, mas os benefícios – a elevação do ânimo, o enfrentamento da questão prática em mãos e o conhecimento de que estamos nos pensamentos e orações dos parceiros – fazem com que valha muitíssimo a pena.

Como você pode detectar nos comentários de Liam, um notável grau de *confiança* está presente em nossas reuniões de MasterMind. Um dos motivos pelos quais é importante que os membros sejam constantes no comparecimento é esse, pois assim se criam um contexto e uma atmosfera nos quais os participantes têm liberdade de falar do fundo do coração, sem constrangimento, e cada membro desenvolve um entendimento básico do outro, de modo que é necessário um grau mínimo de explicação quando um assunto é levantado.

Além disso, os comentários de Liam destacam a importância de um conjunto de valores em comum entre os participantes. Dentro do nosso grupo, esses valores incluem um compromisso espiritual pessoal. Cada membro, à sua maneira, dedica-se à vida religiosa e à busca espiritual. Por isso podemos discutir abertamente assuntos que nem sempre podemos compartilhar ou que podem exigir muitas explicações e esclarecimentos quando lidamos com profissionais ou amigos. Alguns terapeutas ou conselheiros têm uma visão obscura sobre – ou simplesmente não entendem – a natureza de uma busca espiritual ou interior. O fato de nossos membros serem espiritualmente orientados proporciona um contexto comum e aumenta a intimidade e as experiências compartilhadas. De novo, nem todo grupo de MasterMind precisa ser espiritual – discuto isso nos capítulos 5 e 7. Todavia, um conjunto de valores compartilhados promove uma dinâmica de compreensão e apoio mútuo.

Além do ordinário

A próxima experiência destaca o que Napoleon Hill chamou de "fase psíquica" do MasterMind. Ela vem de Christopher Polak, um corretor de imóveis bem-sucedido, proprietário e vice-presidente de uma das maiores firmas imobiliárias da Nova Inglaterra. Christopher faz parte de dois grupos de MasterMind, ou grupos de estudo da prosperidade, como ele os chama, em Salem e Lynnfield, Massachusetts. Ele e um membro do grupo compartilharam uma experiência de grande significado e profundidade. Acredito que participantes de MasterMind – e todas as pessoas espiritualizadas – vão se identificar imediatamente com o episódio. Christopher escreveu o seguinte para mim no verão de 2017:

> Na terça-feira da semana passada, enquanto me preparava para sair para o trabalho de manhã, estava dando o nó na gravata diante do espelho da cômoda do quarto quando um livro de lombada branca me chamou a atenção. Estava ali em meio a vários livros alinhados em cima da cômoda, embaixo do espelho, com suportes de leão imponentes em cada ponta mantendo-os na vertical. Puxei o livro branco do espaço que ocupara durante um ano ou coisa assim. Era um diário de capa dura chamado *One Good Deed a Day* (Uma boa ação por dia). Foi um presente do meu professor de prosperidade em Vermont, e pensei: "Vou guardar e dar para alguém, algum dia".
>
> Cada página continha uma boa ação sugerida para cada dia do ano e algumas linhas para registrar a experiência; 365 páginas. Isso foi na manhã de terça-feira; na manhã seguinte eu teria reunião do meu grupo semanal de estudos de prosperidade no escritório de Salem, Massachusetts; assim, seguindo o exemplo do meu professor, decidi que daria o livro em um sorteio para o corretor que adivinhasse o número que eu escolheria entre 1 e 20.
>
> Naquela quarta-feira tivemos a maior participação semanal de todos os tempos – nove pessoas, comigo incluído, quando normalmente temos quatro ou cinco, às vezes seis. Começamos às dez horas com uma rodada

de afirmações do livro de estudo atual, e, antes de ler o capítulo seguinte de *Think and Grow Rich*, de Napoleon Hill, fiz uma pausa e anunciei que daria um livro para quem acertasse qual número eu havia escolhido e anotado por escrito. Corretores imobiliários adoram coisas de graça, mesmo aqueles com ótimos rendimentos! O número que eu havia escrito era 15.

Fui o último a ler uma afirmação e a seguir disse que Sharon, à minha esquerda, daria o primeiro palpite. Ela chegou depois de eu ter escrito 15 em um pedaço de papel, dobrando-o para ninguém ver. Sharon chutou "15" de primeira. Todos rimos quando abri o papel e mostrei o 15 escrito. Entreguei o diário branco a Sharon e descrevi o conteúdo para o grupo. Sharon abriu uma página aleatória e leu em voz alta: "Seja doador de órgãos". Então disse: "Sinto muito, vou chorar".

Esperamos Sharon limpar a garganta e explicar que muitos anos antes sua irmã havia adoecido e necessitara de um transplante para sobreviver. Ela recebeu o órgão e com isso viveu dezessete anos saudáveis. Então ficou evidente que sua saúde estava de novo debilitada, e ela foi hospitalizada. Ao continuar a piorar, a irmã disse a Sharon que também queria ser doadora de órgãos e pediu para preencher os formulários enquanto ainda podia.

Aprontaram tudo pouco antes de a saúde da irmã de Sharon se deteriorar ainda mais, a ponto de ser preciso uma máquina de ventilação para mantê-la respirando. No dia seguinte, durante a visita, os médicos informaram a Sharon que não havia expectativa de melhora da irmã, que era uma questão de tempo. Também explicaram que, quando um doador de órgãos morre, eles têm apenas alguns minutos para coletar órgãos que podem ser usados para salvar a vida de outra pessoa. Sharon tinha sido nomeada procuradora, então chegou à dolorosa decisão de desligar o ventilador para que sua irmã pudesse partir. Minutos depois, a irmã de Sharon se foi, os médicos levaram o corpo e removeram os órgãos que poderiam ser usados para dar vida a outrem.

Com o passar do tempo, Sharon lutou com acessos de culpa... "Será que eu fiz a coisa certa?" Ela pedia um sinal da irmã – qualquer sinal. Mas nada parecia vir. Sharon por fim parou de pedir. Então ela nos contou: "Ontem, terça-feira, eu estava na Home Depot, vejam só o lugar, com meu marido e pedi em silêncio um sinal de minha irmã. Que tipo de sinal eu receberia na Home Depot?". Sharon agora tinha o sinal que havia pedido à irmã e rezado para receber: "Seja doador de órgãos". Quatro palavras em uma das 365 páginas de um diário que ficou na minha estante de livros por mais ou menos um ano até o Espírito me orientar para pegá-lo em meio aos outros livros e doá-lo sem pensar duas vezes, no momento em que Sharon não só precisava dele como também estava receptiva.

Que todos nós permaneçamos abertos à intuição, às pistas, para reagir com a fé de que o que *fazemos* sem dúvida causa um efeito no mundo e de que somos convidados a desempenhar um papel cooperativo nesta vida como cocriadores com o Divino, mesmo que nem sempre tenhamos uma evidência muito clara disso.

Simples demais para não tentar

Meu parceiro de MasterMind Mel Bergman experimentou um tipo singular de sucesso. Mel é um músico talentoso e membro fundador da banda instrumental The Phantom Surfers, pioneira do *surf rock*. Anos atrás, Mel decidiu que queria deixar o trabalho em vendas a fim de se dedicar à música em tempo integral, especificamente ao *design* e à produção de guitarras elétricas artesanais personalizadas. Em seguida fez uma guitarra chamada The Ether, que entregou pessoalmente a um de seus heróis musicais, Dave Davies, guitarrista solo do Kinks e criador de alguns dos *licks* mais memoráveis do *rock and roll*.

Mel não apenas fez a transição de carreira para a confecção de guitarras personalizadas em tempo integral, como também chegou ao *design* visionário e à produção de uma guitarra especial chamada The Wheely, customizada para pessoas em cadeiras de rodas. Ele é um pioneiro em seu campo e agora produz um instrumento que expande drasticamente a vida das pessoas. Mel atribui a mudança de vida revolucionária ao MasterMind, confirmando os *insights* originais de Napoleon Hill sobre o potencial do processo. Aqui está o testemunho de Mel sobre o MasterMind:

Para chegar a qualquer destino que desejasse na vida, você preferiria remar um bote de um só homem ou ser um passageiro mimado em um iate de luxo? Considere o MasterMind como sua tripulação de marinheiros experientes, navegando por mares calmos, assim como pelas tempestades que você por certo encontrará. Os conceitos por trás do MasterMind podem parecer tão absurdos quanto um taco de futebol ou um político honesto, mas com certeza são mais do que sólidos. Posso atestar pessoalmente, como um cético ferrenho, que o MasterMind mudou o curso da minha vida. Por várias décadas, construí guitarras como uma vaga ocupação secundária/passatempo. Sonhava em um dia fazê-lo em tempo integral, mas nunca acreditei com convicção que poderia, nem tinha sequer um fiapo de crença de que fosse realmente possível. Contudo, ao começar a usar as forças do MasterMind, logo me vi suprido do que precisava para fazer a transição para me tornar *exatamente* o que havia pedido para me tornar. Estranho, mas totalmente verdadeiro. Eu literalmente pensei meu caminho para ganhar a vida construindo guitarras.

Sempre que duas ou mais pessoas de mentalidade semelhante se juntam, você tem um grupo de MasterMind. Simples assim. Mesmo. Se você conseguir suspender a descrença e der uma chance, é inconcebível que não veja resultados. Praticamente tudo o que você deseja pode ser seu com a ajuda do MasterMind. Lembre-se, pensamentos são coisas reais e tangíveis, e o MasterMind aproveita esses pensamentos e desejos para gerar resultados tangíveis e reais.

De fato, este livro é um resultado direto do poder do MasterMind. Há dez anos, quando Mitch Horowitz decidiu testar o poder desse conceito, seu desejo era ser um especialista respeitado no campo do Novo Pensamento. Como até mesmo uma olhada superficial em sua produção atestará, ele se tornou bem mais do que isso. E este livro é um resultado direto dos recursos ilimitados do MasterMind provendo tudo o que é necessário para levar este volume até você.

Posso imaginar o que alguns leitores pensam: "MasterMind? Outra ideia maluca que não funciona, como todas as outras ideias malucas desse tipo. Abracadabra ridículo. Pura charlatanice!". Claro, parece forçar a credulidade que, ao conversar regularmente com pessoas de mentalidade semelhante (reais ou imaginárias!), você possa realizar todos os seus sonhos e objetivos. Mas é verdade. E aconteceu comigo.

Há dez anos, decidi mudar o curso da minha carreira. Foi um grande passo. Eu tinha grandes ideias. As instruções diziam para eu pedir ao MasterMind que provesse todos os meus desejos. Ah, e faça um grande pedido. Então, sem nada a perder a não ser o arrependimento eterno de não tentar, coloquei minha fé e confiança nesse plano. E, contra todas as minhas noções racionais, eis que funcionou! Hoje estou fazendo exatamente o que pedi ao MasterMind para me proporcionar. Meus pensamentos se tornaram realidade. Suas ideias e sonhos podem se tornar realidade para você também.

Muitos planos de negócios e de vida nos dias de hoje são desnecessariamente complexos. São repletos de texto prolixo, planilhas complicadas para preencher e longas listas de verificação a serem concluídas. Você pode adicionar coisas à lista *ad infinitum*. Parece uma boa ideia na segunda-feira, e na sexta-feira está no lixo.

Isso é o genial do MasterMind. É uma ideia *simples* e fácil de executar, e funciona sempre. Se pode funcionar para um covarde cético como eu, com certeza pode funcionar para você. E, se você ainda não tem certeza, experimente o seguinte jiu-jítsu mental: peça ao MasterMind para ajudá-lo *com* o MasterMind!

Irmãos no MasterMind

Aqui está uma lembrança de Lou Murray, meu parceiro de MasterMind e planejador de finanças e patrimônio da região de Boston, articulista político e comentarista da National Public Radio, que atuou como delegado na convenção do Partido Republicano. Embora estejamos em esferas políticas radicalmente diferentes, Lou é um amigo querido e de confiança, que orou por mim e por minha família, ajudou em minha busca religiosa e me apoiou em muitas ocasiões.

Em um momento de divisão em nosso país, somos irmãos no MasterMind. Na história de Lou, você vai encontrar experiências de vida que provavelmente refletem as suas e um comentário sobre o poder revigorante do MasterMind ao longo da semana de trabalho:

Li *Think and Grow Rich* em um momento da minha carreira no qual pensei que estivesse condenado a deixar o ramo de seguros de vida e planejamento financeiro. Eu havia tido muitos anos de sucesso e então me vi enredado não apenas com clientes potenciais dizendo não, mas também com a própria vida. Um primo que também trabalhava com vendas disse para eu tentar Napoleon Hill.

A prosa simples e natural de Hill falou comigo. Voltei a *Think and Grow Rich* na manhã de hoje, ao me preparar para escrever meus pensamentos sobre nosso grupo de MasterMind. Depois de reler as primeiras dez páginas, acho que tive os mesmos pensamentos de muitos crentes bem-intencionados que, após um período afastados da Bíblia, retornam a ela e perguntam para si mesmos: "Por que me afastei?".

Então, para mim, este é o principal valor do grupo de MasterMind: é uma ajuda na prática da filosofia de Napoleon Hill, mesmo que eu não leia o livro por algum tempo. A reunião telefônica semanal funciona como grupo de apoio, grupo de oração e ferramenta para estimular a persistência entusiasmada em todas as iniciativas por meio da confiança e da fé no MasterMind.

Meus companheiros de MasterMind e eu somos de diferentes inclinações políticas e de diferentes religiões; no entanto, temos um vínculo especial e *insights* sobre os triunfos, desejos e metas uns dos outros. Nos ajudamos de muitas e diferentes maneiras. Nossas reuniões correspondem a 45 minutos de nutrição espiritual na minha semana, no meio de um dia de trabalho. Ouvir meus parceiros de MasterMind dizer, ao encerrarmos a ligação, "Vou rezar para que você feche aquele novo contrato em que está trabalhando, me mantenha informado", é ouvir um sentimento que não é expressado regularmente nas salas de reunião dos executivos americanos. E é sempre revigorante, a cada semana.

A praticidade da fé

Comentei que você deve moldar o tom e as práticas do seu grupo de MasterMind de acordo com os valores e necessidades dos membros. É o *seu* grupo. Alguns grupos de MasterMind adotam um tom mais secular, de motivação profissional, e outros, um tom mais espiritual. Como mencionei, meu grupo tende para um lado espiritual, pois isso se encaixa com a perspectiva dos participantes.

Aqui está o testemunho de Gary Jansen, meu colega de MasterMind, executivo do mercado editorial e escritor muito popular sobre temas religiosos. Gary percebe que a abordagem baseada na fé do nosso grupo de MasterMind o ajuda a estabelecer objetivos realistas e bem focados, ao mesmo tempo conservando um senso de propósito mais elevado:

O grupo de MasterMind é um exercício prático e espiritual semanal. Como diz a Bíblia: "Onde se reunirem dois ou três em meu nome, ali eu estou no meio deles". Isso significa que, quando nosso MasterMind se reúne, não estamos apenas compartilhando ideias e apoiando a visão de um futuro melhor uns dos outros; nós nos colocamos na presença do sagrado. É o que eu chamo de um momento Emanuel (hebraico para "Deus está conosco"). Essa mudança de consciência e percepção influencia diretamente os objetivos de vida que cada um de nós estabelece, e nos dá força para superar obstáculos.

Claro que Deus está conosco de muitas maneiras diferentes: no amor que temos por nossos filhos ou amigos, na natureza, nas ações caridosas que podemos realizar. Mas no grupo de MasterMind, Deus, o MasterMind supremo, permite à inteligência divina estar presente nas ideias e sonhos discutidos durante as reuniões. Esse ato de comunhão me ajuda a definir e aprimorar meus objetivos racionalmente. É nisso que o MasterMind mais me beneficiou. Muitas vezes me sinto à deriva em meu propósito na vida, mas o MasterMind me traz para o centro continuamente, lembrando-me de permanecer no curso e nunca desistir.

Parece estranho falar sobre coisas sagradas. Vivemos em uma época em que o santificado muitas vezes é ridicularizado por uma sociedade materialista, que age como se nada existisse além do que vemos diante de nós. Vacas sagradas são muitas vezes enviadas para o matadouro, e falar sobre Deus em praça pública muitas vezes provoca zombarias e desdém. O MasterMind é uma pausa nessas agressões, um momento sacrossanto para estar na presença do Espírito Santo, cuja tarefa é nos guiar e compartilhar dons de sabedoria, entendimento, conselho, fortaleza, conhecimento, piedade e assombro.

Isso não quer dizer que toda reunião de MasterMind seja uma revelação de grande magnitude, mas é um lembrete de que nunca estamos verdadeiramente sós. Temos parceiros na forma de amigos que querem que tenhamos sucesso financeiro, físico, mental e espiritual. E temos Deus, que também quer isso para nós. Se Deus é por nós – e Deus é –, quem poderia ser realmente contra nós?

Entrando em campo

Aqui está a minha história de MasterMind. Minha introdução em um grupo de MasterMind me ajudou a deixar de ser um leitor casual dos livros de Napoleon Hill – o que não leva a lugar algum – para me jogar de verdade nas ideias de Hill, com resultados significativos.

Em um momento anterior de minha vida, eu provavelmente teria considerado o MasterMind um conceito supérfluo, adequado à vida de outras pessoas, mas não à minha. Primeiro porque não me dou bem com espiritualidade de grupo ou congregações (me afastei dos serviços religiosos aos trinta e poucos anos); além disso, tive algumas experiências negativas em ambientes de grupo nos quais os participantes são forçados a compartilhar intimidades, em alguns casos revelando detalhes a gente praticamente estranha em cujo julgamento você não pode confiar e com quem não necessariamente compartilharia informações pessoais no cotidiano.

Porém, quando meu amigo Liam O'Malley me convidou para participar de seu grupo de MasterMind, no verão de 2013, senti que era uma oportunidade especial e aceitei na hora. Para mim, o convite foi uma chance de realmente aplicar as ideias de Napoleon Hill, que até então eu havia abraçado em princípio, mas falhava em praticar com total comprometimento.

Logo depois de me juntar ao grupo de MasterMind, me senti instigado a reler *Think and Grow Rich*, mas de uma maneira especial. Dessa vez, disse a mim mesmo, não iria simplesmente pegar o livro, fazer alguns exercícios e outros não, ler alguns capítulos e dar uma passada nos outros. Não. Decidi que dessa vez abordaria o livro com dedicação completa e seguiria passo a passo *tudo* que Hill aconselhava, inclusive a participação em um grupo de MasterMind. Qual é o objetivo de fazer pela metade? Se algo funciona, funciona. Tem que descobrir. Só dá para saber com empenho total. Hoje muitas vezes digo às pessoas que *Think and Grow Rich*, como todos os programas sólidos de desenvolvimento pessoal, funcionará para elas – *mas só se fizerem os exercícios como se sua vida dependesse disso.* Não escrevi a frase anterior só por escrever.

Com a ajuda e o incentivo de meus parceiros de MasterMind, descobri o que a plena aplicação das ideias de Hill poderia fazer. Minha carreira deslanchou em várias frentes: chegaram contratos para livros (incluindo esta série de dez livros sobre as ideias de Napoleon Hill), bem como narração de audiolivros, programas de televisão e palestras. O dinheiro melhorou mais e mais. Mas esses detalhes são secundários. O mais importante é que passei a fazer o que realmente queria e o que cumpria meu objetivo principal definido: escrever e apresentar programas sobre a história e a praticidade das ideias metafísicas de forma incisiva e útil. E fazê-lo sem concessões. Me senti como se tivesse emergido de uma crisálida.

Isso não quer dizer que tudo correu bem. Encarei várias crises ao longo do caminho, algumas ainda em andamento no momento em que escrevo. Meus parceiros de MasterMind me ajudaram a atravessar cada uma delas. Por exemplo, em 2014 e 2015, fiquei frustrado com a natureza das palestras que me apareciam. Em alguns locais queriam que eu falasse de graça (uma prática difícil para alguém com família e casa), em outros casos os locais eram mal administrados e nem sempre mantinham o acertado. Por exemplo, um proeminente centro de Nova Era me enviava um contrato, eu dava a palestra combinada, e o centro me dava um calote. Esses não são fatos incomuns na cultura espiritual alternativa.

Eu me afligia sobre como gerir a situação. Com a ajuda dos meus colegas de MasterMind, cheguei à decisão que mantenho até hoje: mesmo que signifique apenas três palestras por ano (e costumo fazer bem mais que isso), concordo apenas com as *certas*. Trabalho para organizadores que demonstram ter condições de pagar (a menos que seja um evento para angariar fundos), de promover o evento e de lidar com a logística, incluindo viagem e hotel. Muitas vezes, quando um organizador não paga nem o "convida" para levar seus livros para vender (em vez de ele mesmo encomendar os livros), nada mais é bem planejado, nem mesmo a disposição das cadeiras.

Como mencionei antes, também luto com os tipos de programa de TV a propor e os convites de TV a aceitar. Esses tópicos sempre são avaliados com meus irmãos de MasterMind. Tenho uma sensação de ajuda e clareza toda vez que me reúno com eles. Também sou abastecido de persistência, a qualidade que Napoleon Hill insistiu estar por trás de todo sucesso.

Parte do benefício do MasterMind é que você e seus parceiros, mediante o agendamento regular de reuniões e compartilhamento de detalhes pessoais, estabelecem um ritmo, uma intimidade e um contexto para as questões de vida de todos. Meus parceiros podem ouvir e antecipar meus padrões com mais clareza do que eu, e isso fornece *insights* sobre meu comportamento que nem sempre tenho como ver. Também sei que oferecemos orações, meditações e visualizações durante toda a semana para as necessidades uns dos outros. O senso de apoio se estende bem além da reunião. Simplesmente não existe nada como isso.

A questão política

Observei no Capítulo 1 que nada tem maior probabilidade de corroer o senso de cortesia e companheirismo vitais para um grupo de MasterMind do que a introdução da política. Toda política é emocional. Em debates tanto nacionais quanto pessoais, as posições políticas raramente – ou nunca – são sobre quais políticas funcionam melhor; em vez disso, política tem a ver com o que faz as pessoas se sentirem psicologicamente seguras e protegidas, muitas vezes em um sentido abstrato.

"O mundo é governado", escreveu Napoleon Hill em 1937, às vésperas da Segunda Guerra Mundial, "e o destino da civilização é estabelecido pelas emoções humanas." Quando as posições políticas são questionadas ou desafiadas, o indivíduo muitas vezes sente que sua noção pessoal de segurança está em risco. Esses sentimentos raramente são entendidos como tal, mas é por isso que a raiva e o sarcasmo aparecem quase de imediato em discussões políticas. Os medos inconscientes experimentados são tão agudos quanto se a pessoa estivesse andando por uma rua mal iluminada à noite em um bairro barra-pesada e ouvisse passos atrás de si. Essas reações intensas quase instintivas formam a base emocional invisível da maioria dos debates políticos e afetam a quase todos, de qualquer posição que seja.

O medo, acompanhado de raiva e mordacidade, surge da necessidade de afastar inimigos imaginários. Com isso em mente, você pode ter certeza de que, se surgirem discussões políticas durante os encontros, ou entre os membros nos períodos intermediários, seu grupo de MasterMind se dividirá em meio a ressentimento e ineficácia.

Agora, às vezes a política como fonte de aspiração pessoal é inevitável e, de fato, necessária dentro do seu grupo. Você pode descobrir, por exemplo, que um membro está participando de uma campanha política (de cujos objetivos você pode ou não compartilhar) e aspira a ter sucesso, seja como angariador de fundos, seja como organizador, ativista, consultor, encarregado da mídia ou até mesmo candidato. Você pode deparar com um membro de MasterMind que escreva para um *site* ou publicação de cujas opiniões políticas você compartilhe ou considere desagradáveis ou mesmo odiosas. Essas coisas fazem parte da vida, ocorrem nos grupos de MasterMind, bem como nas famílias.

Quando eu tinha 12 anos de idade, meu pai concorreu ao Congresso pelo Partido Conservador no estado de Nova York. (Eu fiquei orgulhoso dele. Nosso orçamento de campanha: US$ 400. Um candidato a governador me disse mais tarde: "Gastei isso por voto".) Aos 19 anos de idade, fiz estágio no semanário de esquerda *The Nation*. Isso naturalmente criou um abismo entre mim e meu pai. Prejudicou nosso relacionamento. Meu pai não podia entender por que eu tinha feito estágio em uma revista cujas posições ele considerava anátema; eu não conseguia entender por que ele era incapaz de colocar os relacionamentos acima da política. O que você deve fazer se tais coisas ocorrem dentro do seu grupo de MasterMind?

Meu princípio é: você está lá para apoiar valores e aspirações, não *posições*. Você está lá para garantir que um companheiro seja encorajado e capacitado em sua mais alta concepção de sucesso pessoal e ético. Mesmo que alguém esteja trabalhando no que você considera um propósito contrário à sua perspectiva política e social, ainda assim você há de entender e concordar que sempre haverá lados polarizados em todos os assuntos humanos. Seu objetivo não é "vencer" – não é para isso que serve o MasterMind. Você deve, isso sim, desejar que seu parceiro de MasterMind seja a melhor pessoa, a mais ética e de pensamento mais claro do outro lado, quando houver essa diferença. Por isso, uma grande dose de confiança mútua deve estar presente no grupo de MasterMind. De novo, você não está apoiando uma posição ou um resultado, mas sim incentivando um indivíduo a alcançar o melhor de si, o que abrange não apenas o sucesso na carreira, mas também a clareza ética e intelectual.

Um parceiro de MasterMind certa vez trouxe para o nosso grupo uma história de conflito político em sua vida pessoal e profissional. Ele explicou que um amigo estava gravando um comercial para um varejista e precisava desesperadamente de sua ajuda para completá-lo. Meu colega de MasterMind concordou em ajudar. No entanto, ficou em profundo conflito. O varejista tinha a reputação de se opor aos direitos dos gays, o que não apenas atacava a ética pessoal de meu amigo (e a minha), mas também, considerando que ele era pai de um gay, era uma tarefa extremamente dolorosa e conflituosa. Meu parceiro de MasterMind já havia decidido doar o cachê para uma organização de direitos dos gays, então não ia ganhar dinheiro com o negócio e pelo menos apoiaria seus valores de forma indireta. Mas sua consciência não estava sossegada.

Meu conselho foi: "Você está lá estritamente para apoiar seu amigo. A vida é composta de relacionamentos. Seu amigo assumiu um compromisso que agora está tendo problemas para cumprir, e você está ajudando. E era isso. Se ele estivesse se casando com alguém a quem você fizesse objeções e lhe pedisse para ser padrinho, você aceitaria – por causa dele. Às vezes precisamos ceder em muito para um amigo ou ente querido e enquadrar o objetivo em termos não de política, mas de apoio a uma pessoa de nossa intimidade. É isso que você está fazendo. É uma ação única para um amigo".

Se você deparar com uma situação em que a atividade política de alguém de seu MasterMind seja extremamente ofensiva e você não possa, em sã consciência, apoiar os objetivos dessa pessoa, pode ser necessário dar um tempo ou sair do grupo. Se a tensão chega a ferver, o grupo se rompe. Entretanto, antes de adotar medidas drásticas, insisto em que você no mínimo reflita sobre o que escrevi acima e também considere, em espírito de companheirismo e apoio familiar (porque o MasterMind é uma espécie de família), se existe uma maneira de apoiar *a pessoa, e não a posição*.

Os tipos de situação que estou descrevendo não costumam surgir na maioria dos grupos de MasterMind, mas sinto que é necessário pelo menos explorar essas questões, porque tais assuntos são cada vez mais comuns em nossa cultura política polarizada e intensificados pela influência das mídias sociais 24 horas por dia. E, de novo, se a política não faz parte do seu grupo, sugiro que você evite convidá-la a entrar, o que significa *manter opiniões e comentários políticos casuais fora de seus relacionamentos de MasterMind*, tanto durante as reuniões quanto nos períodos intermediários, quando você encontrar outros participantes.

HORA DA AÇÃO
Lista de leitura para o MasterMind

A leitura de livros de desenvolvimento pessoal cria coesão e um vínculo especial entre os membros do MasterMind. Certos livros fortalecem a experiência do grupo e fornecem ideias para o apoio mútuo. Aqui estão algumas obras essenciais que os membros do MasterMind podem ler juntos.

1. *Think and Grow Rich*, de Napoleon Hill (1937). Pode parecer uma escolha óbvia, pois, se você está lendo este livro aqui, provavelmente já é leitor e admirador de Hill. Mas veja bem, periodicamente embarco em uma nova leitura dessa obra central de Hill. Até o momento em que escrevo isto, já reli em três ou quatro ocasiões. Começar do zero com *Think and Grow Rich* é um exercício extremamente poderoso. Se os membros do grupo fizerem isso juntos – e se todos seguirem os exercícios como se os vissem pela primeira vez –, os resultados podem ser extraordinários. Forneço um resumo e um lembrete úteis (não um substituto) de *Think and Grow Rich* no Capítulo 6.

2. *A ciência de ficar rico*, de Wallace D. Wattles (1910). O ministro e visionário social de Indiana forneceu não apenas princípios excepcionais de desenvolvimento pessoal, como também

um modelo de sucesso ético. *A ciência de ficar rico* pode ter um efeito maravilhosamente unificador se você experimentar diferenças periódicas no grupo, as quais devem ser resolvidas para se manter um MasterMind bem-sucedido. Wattles une a todos com seu programa de busca dos objetivos mais elevados, combinando princípios, consciência cívica e ambição ilimitada. Ele nos lembra que nos superamos ao fazer nossa parte em uma cadeia de relações humanas.

3. *It Works*, de R.H.J. (1926). Esse pequeno panfleto de 28 páginas, escrito anonimamente por um vendedor de Chicago chamado Roy Herbert Jarrett, cujo trabalho você encontrará no Capítulo 4, contém um exercício extraordinariamente importante de estabelecimento de metas. Em três etapas primorosamente simples, o autor orienta como determinar, manter e pôr em prática os objetivos mais estimados. Parece fácil demais para ser verdade até você tentar. O "segredo" do livro é que nos induz ao processo de seleção e reconhecimento honesto do que realmente queremos, o que pode ajudar a focar nos objetivos dos membros do MasterMind.

4. *O segredo*, de Rhonda Byrne (2006). No passado, critiquei *O segredo*. Mas desenvolvi respeito pelo livro e pelo filme, que há pouco completaram dez anos. No momento em que escrevo, reassisti ao *Segredo* com meu filho mais novo, de 10 anos, e fiquei impressionado com o quanto gostei dos valores de afirmação da vida do filme. Em uma era de ciclos de atenção limitada, o filme manteve meu filho absorto, e a mim também.

O programa de visualização do *Segredo* – críticos, relaxem, é só isso – repousa sobre um princípio: *pensamentos são causativos*. Considero verdade. Mas e se você apenas *assumisse* essa verdade? Isso beneficiaria sua vida? Eu acho que sim. Experimente. *O segredo* ajudou milhões de pessoas a fazer novas perguntas sobre as possibilidades de suas mentes, o que considero ótimo. Revisitar o livro e o filme ajudou a revitalizar minha pesquisa.

5. *Ao seu comando*, de Neville (1939). Essa obra enxuta de Neville Goddard, que escreveu sob o seu primeiro nome, estende-se pelo campo da filosofia da mente positiva. Com desenvoltura e persuasão, Neville argumenta que sua imaginação é Deus – e que tudo que você experimenta, incluindo os outros ao seu redor, é resultado de seus estados emocionais e imagens mentais. Neville é uma das figuras mais ousadas e impecáveis da tradição da mente positiva e merece ser descoberto. Ele fornece ideias profundas para você e seus parceiros de MasterMind analisarem e experimentarem.

6. *Your Invisible Power*, de Genevieve Behrend (1921). Behrend foi a única aluna do britânico Thomas Troward (1847–1916), o pioneiro do Novo Pensamento que tentou desenvolver uma teoria abrangente para explicar os poderes causais da mente. Nesse livro deliciosamente sucinto e atraente, Behrend explica as ideias de seu professor com clareza, simplicidade e persuasão. Com 95 páginas de leitura agradável, *Your Invisible Power* é uma das afirmações mais claras e envolventes da metafísica

do poder da mente que conheço. É um guia maravilhoso para o seu grupo experimentar.

7. *Alcoólicos Anônimos* (1939). Concebido principalmente pelo cofundador do AA Bill Wilson, esse livro destilou as ideias do filósofo William James e uma ampla gama de *insights* metafísicos e espirituais em uma forma prática de espiritualidade curadora. Os primeiros três dos famosos doze passos são um modelo da ideia de James da "experiência de conversão", um passo vital para a renovação pessoal. Parte da genialidade do livro é que qualquer termo – raiva, jogo, vício – pode substituir "álcool". É sem dúvida o livro mais prático já escrito para pessoas em crise. O livro tem um valor especial para participantes de MasterMind na medida em que detalha o poder e os benefícios do trabalho conjunto e da ajuda mútua. Seus *insights* são aplicáveis a qualquer modelo de grupo. No Capítulo 5, examino as afinidades dos grupos de doze passos e de MasterMind.

O MASTERMIND E O "SEGREDO" DE NAPOLEON HILL

Em *Think and Grow Rich*, Napoleon Hill garante que um grande "segredo" para o sucesso está codificado ao longo do livro e aparece pelo menos uma vez em cada capítulo. "O segredo a que me refiro", escreveu Hill, "é mencionado não menos que cem vezes ao longo deste livro. Não é nomeado diretamente, pois parece funcionar com mais sucesso quando é apenas descoberto e deixado à vista, onde aqueles que estão prontos e procurando por ele podem pegá-lo. (...) Se você estiver pronto para colocá-lo em uso, reconhecerá esse segredo pelo menos uma vez em cada capítulo."

Respeito a metodologia de Hill, mas suponho que, se você está lendo este trabalho suplementar, provavelmente já dispõe de iniciativa para apreciar e aplicar o "segredo" – e, se não dispõe, mais algumas indiretas a respeito não vão fazer qualquer diferença. Por isso vou começar este capítulo fornecendo meu entendimento do "segredo" de Hill, que ele ligou ao processo do MasterMind.

O segredo é ilustrado, às vezes de modo surpreendente, em muitas anedotas e histórias de *Think and Grow Rich*, mas penso que está mais bem exposto na descrição do vendedor Edwin C. Barnes, que apostou tudo na realização do objetivo de se tornar sócio de Thomas Edison. Como conta Hill, Barnes apareceu um dia, sem avisar e falido, à porta do laboratório de Edison em Orange, New Jersey. (Você pode ler o relato resumido no Capítulo 6.) Embora tivesse chegado à cidade em um trem de carga, Barnes tinha uma atitude mental especial e autêntica. Sem histrionismo e com total sinceridade, ele era:

1. Persistente.
2. Decidido.
3. Convicto do que *exatamente* queria.

A crença de que você pode alcançar o que deseja – apoiado na iniciativa pessoal, persistência, determinação inteligente e em um objetivo bem focado e finamente aperfeiçoado, ao qual você se aferra com total firmeza – é o "segredo" de *Think and Grow Rich*. O casamento da fé mental e emocional absoluta com um objetivo para o qual você trabalha incansavelmente é o código de sucesso.

Um objetivo sólido muitas vezes é acompanhado de um *destemor* evidente, um subproduto do segredo de Hill. Aqui está um bom exemplo. Em 1964, o professor espiritual Jiddu Krishnamurti proferiu uma série de palestras para jovens estudantes na Índia. Um adolescente disse ao professor que temia ser expulso de casa caso violasse a vontade do pai e seguisse a carreira de engenheiro. Você deve agir de acordo com seu objetivo legítimo, incitou o professor, e a vida responderá conforme suas exigências:

> Você está querendo dizer que, se persistir em querer ser engenheiro e seu pai o despejar de casa, não encontrará meios para estudar engenharia? Você vai suplicar, vai recorrer aos amigos. Senhor, a vida é muito estranha. No momento em que você é bem claro sobre o que quer fazer, as coisas acontecem. A vida vem em seu auxílio — um amigo, um parente, um professor, uma avó, alguém ajuda. Porém, se você tem medo de tentar porque seu pai pode despejá-lo, aí você está perdido. A vida nunca vem em auxílio daqueles que meramente cedem a alguma exigência por medo. Contudo, se você disser "É isso que realmente quero fazer e vou me empenhar", aí verá que algo milagroso vai acontecer.

Mas Hill também insistiu que esse estado mental destemido deve ser acompanhado de pensamento preciso, planejamento claro, ação e autossugestão (tema de um volume futuro desta série e explorado brevemente no Capítulo 6). *Tudo isso deve ser amplificado pelo poder do*

MasterMind. Esse ponto também aparece ao longo de *Think and Grow Rich*, quase tanto quanto o chamamento para um objetivo definido.

O capítulo de Hill sobre "Decisão" em *Think and Grow Rich* é, para mim, o círculo dourado em que ele conecta seu "segredo" ao MasterMind. Em 21 de novembro de 2014, dois dias antes do meu aniversário, eu estava relendo *Think and Grow Rich* (por via das circunstâncias, estou revisando este trecho no mesmo dia, três anos depois) e fiz a seguinte anotação na margem daquele capítulo: "Compromisso *absoluto* – inabalável, apoiado pela retidão – é esse o *poder* a que ele se refere?". Sim, é. Mas, de novo, *esse poder deve estar unido ao MasterMind*. No mesmo capítulo, Hill dá o exemplo-chave dessa *dinâmica conjunta* entre o código do sucesso e o MasterMind. Ele faz isso ao retratar os comitês de correspondência, células pré-revolucionárias da América colonial. Os membros dos comitês viriam a planejar e assinar a Declaração de Independência e mais tarde organizar a Convenção Constitucional. Também fiz a seguinte anotação durante a leitura naquele dia: "Comitês de correspondência = MasterMind". *Sim, de novo.*

Para demonstrar exatamente como Hill casou seu "segredo" com o MasterMind, reproduzo abaixo a seção-chave de *Think and Grow Rich*. Pode lhe interessar saber – como descobri ao escrever este livro – que fiz minha anotação sobre "compromisso absoluto" no final da passagem sobre os comitês de correspondência que selecionei para citar; fiz a seleção *antes* de escrever os parágrafos de abertura deste capítulo sem me dar conta de que meu ponto de parada era exatamente o lugar onde se acenderam para mim as luzes sobre a conexão entre o "segredo" de Hill e o MasterMind.

A seguir, o trecho de *Think and Grow Rich* e a conclusão especial de Hill. Estude-o com cuidado. Quando Hill escreve sobre "poder", refere-se ao segredo que acabamos de abordar: as habilidades atreladas à decisão mental. O trecho é uma ilustração concreta de como um objetivo principal definido e a ação do MasterMind fazem parte do mesmo processo criativo.

Os fundadores e o MasterMind

A maior decisão de todos os tempos, no que diz respeito a qualquer cidadão norte-americano, foi tomada na Filadélfia em 4 de julho de 1776, quando 56 homens assinaram um documento que, eles sabiam, traria liberdade a todos os norte-americanos ou levaria cada um dos 56 à forca! Você já ouviu falar desse famoso documento, a Declaração de Independência, mas tirou dele a grande lição de realização pessoal tão claramente ensinada?

Todos lembram a data dessa decisão importante, mas poucos percebem a coragem que ela exigiu. Recordamos a história conforme foi ensinada; lembramos datas e nomes dos homens que lutaram, lembramo-nos de Valley Forge e Yorktown, de George Washington e lorde Cornwallis. Mas pouco sabemos das forças reais por trás desses nomes, datas e lugares. Sabemos ainda menos sobre o poder intangível que garantiu a liberdade muito antes de os exércitos de Washington chegarem a Yorktown.

É quase trágico que os escritores da história tenham perdido inteiramente até a menor referência ao poder irresistível que deu vida e liberdade à nação destinada a estabelecer novos padrões de independência para todos os povos da Terra. Digo que é uma tragédia porque é o mesmo poder que deve ser usado por cada indivíduo que supera as dificuldades da vida e a obriga a pagar o preço solicitado.

Vamos analisar rapidamente os eventos que deram origem a esse poder. A história começa com um incidente em Boston em 5 de março de 1770. Soldados britânicos patrulhavam as ruas, ameaçando abertamente os cidadãos com sua presença. Os colonos se ressentiam dos homens armados marchando em seu meio. Começaram a expressar esse ressentimento abertamente, jogando pedras e gritando adjetivos para os soldados, até que o comandante deu a ordem: "Preparar baionetas... Atacar!".

A batalha começou. E resultou em muitos mortos e feridos. O incidente despertou tanto ressentimento que a Assembleia da Província (composta por colonos proeminentes) convocou uma reunião com a finalidade de tomar medidas firmes. Dois membros dessa Assembleia eram John Hancock e Samuel Adams – vida longa a seus nomes! Eles falaram com coragem e declararam que alguma coisa tinha que ser feita para expulsar todos os soldados britânicos de Boston.

Lembre-se disto: uma decisão tomada por dois homens pode ser considerada o início da liberdade de que nós, nos Estados Unidos, agora desfrutamos. Lembre-se também de que a decisão desses dois homens exigiu fé e coragem, porque era perigosa.

Antes da suspensão da Assembleia, Samuel Adams foi escolhido para intimar Thomas Hutchinson, o governador da província, e exigir a retirada das tropas britânicas.

O pedido foi atendido, e as tropas foram removidas de Boston, mas o incidente não acabou aí. Aquilo havia provocado uma situação que mudaria todo o curso da civilização. Estranho, não é, como grandes mudanças, como a Revolução Americana e a Guerra Mundial, muitas vezes têm início em circunstâncias que parecem sem importância? Interessante observar também que essas mudanças importantes geralmente começam na forma de uma decisão definida nas mentes de um número relativamente pequeno de pessoas. (...)

Adams pensou que uma troca mútua de cartas entre as treze colônias poderia ajudar a coordenar o esforço tão necessário para a solução de seus problemas. Em março de 1772, dois anos após o confronto com os soldados em Boston, Adams apresentou essa ideia à Assembleia na forma de moção para o estabelecimento de um comitê de correspondência entre as colônias, com correspondentes definidos indicados em cada colônia. (...)

Foi o início da organização da força remota destinada a dar liberdade a você e a mim. Um grupo de MasterMind já havia sido organizado. (...) "Também lhes digo que, se dois de vocês concordarem na terra em qualquer assunto sobre o qual pedirem, isso lhes será feito por meu Pai que está nos céus."

O comitê de correspondência foi organizado. Observe que esse movimento abriu o caminho para o aumento do poder do MasterMind, adicionando a ele homens de todas as colônias. Note que esse procedimento constituiu o primeiro planejamento organizado dos colonos descontentes.

A união faz a força! Os cidadãos das colônias vinham travando uma guerra desorganizada contra os soldados britânicos por meio de incidentes semelhantes aos tumultos de Boston, mas nada de benéfico havia sido alcançado. As queixas individuais não haviam se consolidado sob um MasterMind. Nenhum grupo de indivíduos havia colocado seus corações, mentes, almas e corpos juntos em uma decisão definida para resolver a dificuldade com os britânicos de uma vez por todas. (...)

Enquanto isso, os britânicos não estavam parados. Eles também planejavam e se dedicavam a um MasterMind. E tinham a vantagem de contar com dinheiro e exército organizado.

A Coroa nomeou Thomas Gage para substituir Hutchinson como governador de Massachusetts. Um dos primeiros atos do novo governador foi enviar um mensageiro para intimar Samuel Adams com o objetivo de tentar deter sua oposição – pelo medo. (...) Samuel Adams tinha duas opções: podia cessar a oposição e receber propina pessoal ou podia continuar e correr o risco de ser enforcado!

Claramente, havia chegado a hora em que Adams era forçado a tomar uma decisão imediata que poderia custar sua vida. A maioria dos homens teria dificuldade de chegar a uma decisão. A maioria teria enviado uma resposta evasiva, mas não Adams. (...) Resposta de Adams: "Então você pode dizer ao governador Gage que acredito ter feito as pazes há muito tempo com o Rei dos Reis. Nenhuma consideração pessoal me induzirá a abandonar a causa digna de meu país. E diga ao governador Gage que o conselho de Samuel Adams para ele é que pare de ofender os sentimentos de um povo exasperado".

Parece desnecessário tecer comentários sobre o caráter desse homem. Deve ficar óbvio a todos que leem a mensagem surpreendente que seu remetente manifestava lealdade da mais alta ordem. Isso é importante. (Escroques e políticos desonestos prostituíram a honra pela qual homens como Adams morreram.)

Quando o governador Gage recebeu a resposta cáustica de Adams, ficou furioso e emitiu a seguinte proclamação: "Pela presente, e em nome de Sua Majestade, ofereço e prometo seu perdão mais gracioso a todas as pessoas que imediatamente abandonem as armas e retornem aos seus deveres de súditos pacíficos, excluindo do benefício desse perdão apenas Samuel Adams e John Hancock, cujas ofensas são de natureza muito flagrante para admitir qualquer outra consideração senão a punição".

Adams e Hancock estavam no centro das atenções. A ameaça do governador irado forçou os dois homens a tomar outra decisão, igualmente perigosa. Eles convocaram às pressas uma reunião secreta de seus seguidores mais determinados. (Aqui o MasterMind começa a tomar impulso.) Assim que todos se apresentaram, Adams trancou a porta, colocou a chave no bolso e informou aos presentes que era imperativa a organização de um congresso dos colonos e que nenhum homem deveria sair daquela sala até que a decisão desse congresso fosse tomada.

Houve grande alvoroço. Alguns pesaram as possíveis consequências desse radicalismo. (O velho medo do homem.) Alguns expressaram sérias dúvidas sobre a sensatez de uma decisão tão definitiva contra a coroa. Fechados naquela sala havia dois homens imunes ao medo, cegos à possibilidade de fracasso: Hancock e Adams. Por influência dessas duas mentes, os outros foram induzidos a concordar com arranjos a serem feitos por meio do comitê de correspondência para uma reunião do Primeiro Congresso Continental, a ser realizada na Filadélfia, em 5 de setembro de 1774.

Lembre-se dessa data. É mais importante que 4 de julho de 1776. Se não houvesse a decisão de realizar um Congresso Continental, não haveria assinatura da Declaração de Independência.

Antes do primeiro encontro do novo Congresso, outro líder em uma região diferente do país estava profundamente envolvido na publicação de uma "Visão resumida dos direitos da América Britânica". Era Thomas Jefferson, da província da Virgínia, cujo relacionamento com lorde Dunmore (representante da Coroa na Virgínia) era tão tenso quanto o de Hancock e Adams com seu governador.

Pouco depois da publicação de seu famoso "Resumo dos direitos", Jefferson foi informado de que estava sujeito a processo por alta traição contra o governo de Sua Majestade. Inspirado pela ameaça, um dos colegas de Jefferson, Patrick Henry, emitiu corajosamente sua opinião, concluindo as observações com uma frase que deve ser um clássico eterno: "Se isso for traição, tire proveito máximo dela".

Foram homens como esses que, sem poder, sem autoridade, sem força militar, sem dinheiro, se dedicaram à solene consideração do destino das colônias, começando com a abertura do Primeiro Congresso Continental e prosseguindo em intervalos, durante dois anos, até que, em 7 de junho de 1776, Richard Henry Lee levantou-se, dirigiu-se ao presidente e à assustada Assembleia e apresentou uma moção: "Senhores, apresento a moção de que essas colônias unidas são, e devem ser por direito, estados livres e independentes, desobrigados de toda lealdade à Coroa britânica, e que toda conexão política entre elas e o estado da Grã-Bretanha seja, e deva ser, totalmente dissolvida".

A surpreendente moção de Lee foi discutida fervorosamente, e por tanto tempo que ele começou a perder a paciência. Finalmente, após dias de discussão, ele tomou de novo a palavra e declarou em voz clara e firme: "Senhor presidente, discutimos esta questão há dias. É o único caminho a seguirmos. Por que então, senhor, continuarmos adiando? Por que ainda deliberar? Deixe este feliz dia dar à luz uma república americana. Deixe-a surgir, não para devastar e conquistar, mas para restabelecer o reinado da paz e da lei. Os olhos da Europa estão fixos em nós. Ela exige de nós um exemplo vivo de liberdade que possa fazer um contraste, para a felicidade dos cidadãos, à crescente tirania".

Antes de sua moção ser enfim votada, Lee foi chamado de volta à Virgínia por causa de uma grave doença na família. Mas, antes de partir, colocou a causa nas mãos do amigo Thomas Jefferson, que prometeu lutar até que medidas favoráveis fossem tomadas. Pouco tempo depois, o presidente do Congresso (Hancock) nomeou Jefferson presidente de um comitê para a elaboração de uma Declaração de Independência.

O comitê trabalhou duro e por muito tempo em um documento que significaria, quando fosse aceito pelo Congresso, que todo homem que o assinasse estaria assinando a própria sentença de morte se as colônias perdessem a briga com a Grã-Bretanha, que certamente aconteceria a seguir. (...)

Quando Jefferson terminou, o documento foi votado, aceito e assinado pelos 56 homens, cada um apostando a vida na decisão de escrever seu nome. A partir dessa decisão, surgiu uma nação destinada a trazer para sempre à humanidade o privilégio de tomar decisões.

Por decisões tomadas em semelhante espírito de fé e apenas por decisões desse tipo, os homens podem resolver problemas pessoais e conquistar para si grande patrimônio material e espiritual.

Analise os eventos que levaram à Declaração de Independência e se convença de que essa nação, que hoje ocupa uma posição de respeito e poder entre todas as nações do mundo, nasceu de uma decisão criada por um MasterMind formado por 56 homens.

É claro que nem todo grupo de MasterMind será tamanho portento ou incutirá em seus participantes tamanha profundidade de visão, propósito e destemor. Mas Hill usa o exemplo dramático para enfatizar o papel inestimável que um grupo *deve* desempenhar no despertar de sabedoria, coragem, pensamento flexível e apetite por empreendimento e risco inteligentes. Existem certas alturas que simplesmente não podemos escalar sozinhos.

Embora Hill tenha enfatizado a importância da determinação – o hábito de chegar a decisões com rapidez e firmeza e de raramente revertê-las (e só fazê-lo quando surgirem novos fatos ou condições radicalmente modificadas) –, também insistiu em que indivíduos motivados não podem agir sozinhos. Assim como qualquer pessoa decidida inteligentemente procuraria o conselho de um amigo ou colega de confiança antes de fazer um movimento importante, precisamos do efeito estabilizador e encorajador de um grupo cuidadosamente selecionado para nos ajudar a discernir entre impulso e ação, entre quimera e ideia, entre paixão e intelecto, entre informações variadas e *insights* autênticos. Como aconteceu com os fundadores sob as condições históricas mais intensas, o MasterMind também pode nos servir quando encaramos as realidades cotidianas da vida.

No entanto, a fim de tirar o máximo proveito de um grupo de MasterMind, você deve utilizar essa aliança com um objetivo concreto e senso de propósito. Lembra a terceira característica do vendedor Edwin C. Barnes? Ele estava "convicto do que *exatamente* queria". Sem um objetivo bem definido, o MasterMind não tem no que atuar. Levar a meta definida para o MasterMind é vital para o aproveitamento das energias da Inteligência Infinita. A meta é o combustível para o fogo. Agora vamos nos voltar para isso.

O MasterMind e seu objetivo definido

Muitos escritores de desenvolvimento pessoal observaram os efeitos da comunidade, dos relacionamentos e das parcerias na capacidade de se atingir um objetivo. Mas você deve primeiro ter um objetivo sério, apaixonado e viável. Um objetivo verdadeiro não é um devaneio ou fantasia. Sua meta pode ser ousada, mas deve ser acessível e submetida a planejamento e ação organizados. Costumo dizer às pessoas que um objetivo autêntico é, por definição, alcançável. Caso contrário, é apenas uma esperança vã.

Ao estabelecer um objetivo genuíno e significativo, recomendo com frequência um exercício retirado de um folheto notável que mencionei anteriormente chamado *It Works*, publicado anonimamente em 1926 por um executivo de vendas de Chicago chamado Roy Herbert Jarrett (1874–1937). Jarrett é uma das figuras que mais admiro na cultura metafísica norte-americana. Com base na experiência pessoal e em anos de trabalho com suas ideias em experimentos em silêncio, ele produziu um exercício incrivelmente simples e poderoso para a seleção e realização de metas.

Esse exercício vai ajudá-lo a desviar da armadilha de um objetivo vago ou incerto e se dirigir a um objetivo que possa ser auxiliado pelo MasterMind. Mas já aviso: por mais simples que possa parecer, esse exercício só funciona se você se dedicar, como escrevi antes, *como se sua vida dependesse disso*. Esse é o meu mantra. Essa abordagem é a chave para todos os programas legítimos de desenvolvimento pessoal e desbloqueia todas as etapas da filosofia de Hill. Sem *dedicação total*, nada é atingível. Com ela, seu desejo ardente acabará se transformando em oportunidades de realização. Como C. S. Lewis afirmou: "Tudo depende de realmente querer".

Se você ainda não a conhece, essa técnica pode marcar um ponto de virada especial. E, se a conhece, espero que o que escrevo aqui faça com que você a retome com vigor renovado. Em essência, Jarrett destilou um programa de filosofia da mente criativa em três etapas básicas, que adaptei assim:

1. Elabore com cuidado uma lista do que você *realmente* quer da vida. Isso pode significar trabalhar em sua lista por dias, semanas ou até meses. Escreva e reescreva até sentir-se moralmente certo de que a lista contém seus desejos mais profundos.

2. Depois de ter sua lista modelada em uma verdade absoluta, anote-a como um contrato pessoal e leve-a consigo. Leia-a de manhã, à tarde e à noite. Pense nela sempre. Misture sua leitura e pensamentos com sentimento; sua lista deve despertar seus desejos mais queridos.

3. *Não diga a ninguém o que você está fazendo*, a fim de permanecer firme em sua determinação. Demasiadas vezes revelamos aos outros nossos desejos de forma tola e precipitada. Muitas vezes as pessoas rebaixam ou descartam os sonhos de amigos, colegas de trabalho e membros da família, perturbando seu equilíbrio e esgotando seu moral. Não deixe isso acontecer com você. *Permaneça em silêncio*. O MasterMind é seu canal apropriado.

Quando os resultados chegarem, expresse gratidão.

Como pode um exercício tão simples funcionar? Funciona porque nos leva a fazer algo que achamos que fazemos o tempo todo, mas raras vezes tentamos: *aceitar honestamente nossos desejos mais verdadeiros.* Conhecer seus desejos pode invocar energias e possibilidades que você não sabia que existiam. A maioria de nós passa pela vida preguiçosamente, pensando que sabe o que quer: uma nova casa, um companheiro amoroso, um emprego melhor etc. Ou somos consumidos por desejos passageiros, que experimentamos e satisfazemos por um momento, como Isaac vendendo seu direito de primogenitura por uma tigela de sopa. Mas insisto: sente-se sozinho, de maneira madura e contínua, despojado de todas as convenções, inibições e constrangimentos, e pergunte o que *realmente* deseja da vida. Tente esses três passos. Jogue-se neles. É quase certo que o resultado o surpreenderá.

Chegando ao que interessa

Agora afirmo que você, como Edwin C. Barnes, deve selecionar *a coisa* que deseja acima de tudo. Nos passos acima, pedi-lhe para compilar uma lista de coisas. Existe uma contradição? É aqui que me afasto de Jarrett e me apego mais ao ideal defendido por Napoleon Hill: você deve selecionar um Objetivo Principal Definido (termo que Hill grafava com iniciais maiúsculas). Você provavelmente notará que a maioria das coisas na sua lista converge para determinado ponto. Você deve usar esse conhecimento para dar mais um passo, ou seja, aperfeiçoar seu principal objetivo de vida. Esse é o objetivo que você levará para seu grupo de MasterMind.

Tome nota da experiência do mundialmente famoso mitólogo Joseph Campbell (1904–1987). Pouco antes da Grande Depressão, Campbell residia em Nova York. Com quase 30 anos de idade, o já não tão jovem buscador estava à deriva, não tinha ideia do que queria fazer da vida. Aos domingos, Campbell frequentava uma igreja metafísica presidida por um ministro chamado Fenwicke Holmes, irmão e colaborador de Ernest Holmes, um dos arquitetos do "poder do pensamento positivo", fundador da filosofia da ciência da mente e da revista *Science of Mind*. Campbell se aproximou de Fenwicke em busca de conselhos. O ministro passou um exercício para descobrir no que ele deveria colocar as energias: "Devem-se fazer anotações por um período de quatro ou cinco semanas sobre as coisas que interessam. Vai se descobrir que todos os interesses tendem em certa direção". Essa técnica simples solidificou o desejo de Campbell de estudar mitologia. O exercício mais tarde ecoou no aforismo amplamente conhecido de Campbell: "Siga a sua felicidade".

O conselho de Campbell tem muitos aspectos práticos. Certa vez perguntei a um executivo de desenvolvimento de projetos de TV como as pessoas evitam enlouquecer em uma indústria tão traiçoeira e incerta. Na TV as promessas são feitas e quebradas rapidamente; as propostas recebem sinal verde e aí são liquidadas – como lidar com isso? Ele disse que existem três tipos de pessoas no desenvolvimento criativo: 1) as que estão sempre tendo grandes ideias e se destacam, 2) as que são incrivelmente duras na queda e conseguem suportar as inevitáveis decepções e reveses e 3) as que se perdem na jogada e têm cabelos prematuramente grisalhos e unhas roídas por causa do estresse. É claro que o ideal é estar na primeira categoria em qualquer profissão que seja. Mas a única maneira de estar nessa categoria é estar na profissão *certa*. O caminho feliz, no qual você sente uma paixão alegre, é aquele para o qual você é idealmente adequado. Só ali você pode ter grandes ideias de modo constante e se sentir produtivo, poderoso e necessário.

Esse é o objetivo certo?

As pessoas às vezes se preocupam com a solidez do desejo que selecionam. Podem ter uma sensação de incerteza do ponto de vista espiritual ou ético, temendo que o desejo seja egoísta ou cegamente materialista.

Fiquei comovido com o filme *Birdman*, estrelado por Michael Keaton, que tem uma perspectiva surpreendente sobre essa questão. Visto de certo ângulo, o herói interpretado por Keaton é um astro de cinema egocêntrico, velhusco, que luta para recuperar a glória do passado. No final, porém, o filme vira a premissa convencional de ponta-cabeça. O protagonista de fato acaba parecendo um homem bastante decente e sincero, que está em seu elemento natural no centro das atenções. É certo e digno ele estar no palco – enquanto aqueles que o criticam parecem cada vez menos atraentes. O filme pede que você faça um inventário cuidadoso de seus valores e tenha certeza de que suas ideias de certo e errado são autênticas, e não apenas moralismo convencional.

Semelhantemente aos antagonistas de Keaton no filme, os críticos das filosofias de autoajuda e motivacional (às vezes mirando em *O segredo*) argumentam que os princípios da mente positiva e da espiritualidade com aspirações promovem egoísmo e egocentrismo.

Eu questiono essas ideias. Estou nesse meio há muito tempo e nunca vi ninguém tentando manifestar um Mercedes-Benz (nunca sei de onde os críticos tiram isso) ou outros objetos de interesse fugaz. Em vez disso, encontro pessoas lidando com vícios, problemas conjugais, questões profissionais, doenças, dificuldades para pagar o aluguel – coisas da vida como ela é.

Porém, se alguém procurasse *mesmo* manifestar um carro novinho em folha ou, mais provavelmente, alguma realização tangível maior e mais prolongada – como o personagem de Keaton no filme, que busca a reativação da fama –, eu defenderia essa pessoa. Quem sou eu ou quem é qualquer outro para julgar o que é natural, produtivo e valioso na vida de alguém? Não tenho dificuldade para imaginar alguém que cresceu na miséria querer apenas experimentar objetos e ambientes bonitos. Pode não ser *tudo* o que esse indivíduo queira, mas pode representar algo significativo em termos pessoais. Assim, o objetivo pode envolver a obtenção de recursos materiais, talvez por meio de uma linha específica de negócios ou profissão.

Como todos nós, o personagem de Keaton em *Birdman* tem uma noção natural do que ele precisa para atingir seu potencial máximo. Nem ele nem ninguém deve sentir-se superficial ou de alguma forma "não espiritual" quando anseia por experimentar alguma forma de ganho material ou realização individual de qualquer natureza. Desejos são complexos e profundamente íntimos. Sempre almeje o que verdadeiramente lhe importa. E nunca tenha tanta certeza de que as únicas coisas que importam são aquelas que não podemos ver. O que mais conta na elaboração de um objetivo é a sua noção mais elevada de realização ética, excelência pessoal e serenidade.

Essa é a matéria-prima a ser levada para o MasterMind.

Como o MasterMind protege você

Conforme mencionado, as intenções das pessoas ao redor desempenham papel vital na maneira como seus planos e ideias se desenrolam. Por isso Hill compartilhou o princípio de Roy Jarrett de que nunca se devem divulgar ideias, sonhos e necessidades a qualquer um de modo fortuito. Hill fez especial advertência contra o vazamento de planos com os quais se está profundamente comprometido a conhecidos aleatórios, parentes, amigos e colegas de trabalho que, por meio de opiniões e julgamentos descuidados (ou maliciosos), podem abalar sua confiança e contradizer seus instintos e pesquisas.

"Sem dúvida, a fraqueza mais comum de todos os seres humanos", escreveu Hill em *Think and Grow Rich*, "é o hábito de deixar a mente aberta à influência negativa de outras pessoas. Essa fraqueza é tão danosa porque a maioria das pessoas não reconhece que é amaldiçoada por ela, e muitas que reconhecem negligenciam ou rejeitam a correção do mal até este se tornar parte incontrolável de seus hábitos diários."

As únicas pessoas com quem você deve falar sobre seus planos são aquelas que têm conhecimento especializado do assunto e estão dispostas a compartilhar ou vender esse conhecimento a preço justo. A exceção a isso é sua aliança de MasterMind. Esse é um benefício fundamental do trabalho com um grupo de MasterMind. O MasterMind protege de comentários ou opiniões equivocados ou ignorantes. Esse é um ponto que Hill enfatizou repetidas vezes e ao qual vale a pena retornar. Ele observou em *Think and Grow Rich*:

> Opiniões são as *commodities* mais baratas do mundo. Todos têm um monte de opiniões prontas para serem dadas a qualquer um que as aceite. Se você for influenciado por "opiniões", quando chegar a decisões não terá sucesso em nenhum empreendimento, muito menos em transmutar seu desejo em dinheiro.
>
> Se você for influenciado pelas opiniões dos outros, não terá um desejo próprio. Mantenha seus planos para si quando começar a praticar os princípios descritos aqui, chegando a decisões por si e seguindo-as.
>
> Não faça confidências a ninguém, exceto aos membros do MasterMind, e certifique-se muito bem de, na seleção desse grupo, escolher apenas aqueles que manifestem completo entendimento e harmonia em relação a seu propósito.

Como você pode ver, a cautela de Hill não se traduz na adoção de uma atitude desconfiada ou no cultivo de isolamento. Em vez disso, o MasterMind torna-se sua organização íntima de amigos, confidentes e conselheiros. Você deve ver o grupo, tanto durante as reuniões quanto nos intervalos, como uma mesa-redonda, e cada membro como alguém para quem você pode contar qualquer coisa. Naturalmente, haverá muitas ocasiões em que você também vai precisar de aconselhamento, dados, educação, *insights* e informações especializados de fora do grupo. Quando tais ocasiões surgirem, o que inevitavelmente vai acontecer, consulte os membros do MasterMind sobre possíveis pessoas e locais, avalie a natureza e a qualidade de suas fontes e procure informações verificadas precisas e especialistas legítimos. Certifique-se de receber informações de fontes confiáveis. De novo, nunca recorra a alguém com meras "opiniões", uma forma velada de não informação.

Como comentei acima, há uma dimensão psicológica para esse cuidado. É uma dura verdade da vida que pessoas aleatórias ao seu redor, incluindo vizinhos, colegas de trabalho, parentes e até mesmo amigos, podem ser ciumentos, cobiçosos ou sentir uma emoção perversa de denegrir os planos, sonhos e desejos dos outros. Tal comportamento destina-se a aliviar arrependimentos por ideias e ambições não realizadas. É triste, mas você encontrará esses traços na maioria dos seus círculos sociais. Pouca gente age de acordo com a própria ambição e não hesita em julgar as ambições alheias. O MasterMind e seu senso de discrição ao selecionar suas fontes são barreiras de segurança contra esse tipo de comunicação supérflua e potencialmente destrutiva.

Quem acredita em você?

É vital cercar-se do tipo certo de pessoas – aquelas que têm julgamento crítico e acreditam em suas habilidades e objetivos. Em seu livro clássico *O gestor eficaz*, publicado em 1966, o guru da administração Peter Drucker – um pensador brilhante e original – promulgou três ideias básicas para o sucesso, relevantes para o nosso estudo. São elas:

1. Construa sobre ilhas de força e saúde.

2. Trabalhe apenas em coisas que farão muita diferença se você tiver sucesso.

3. Trabalhe apenas com gente que acredite no que você está tentando realizar.

Embora o terceiro item tenha sido escrito apenas quatro anos antes da morte de Napoleon Hill, poderia ser de autoria dele e está intimamente ligado ao que estivemos explorando. Talvez nem sempre seja possível encontrar-se na companhia de colegas de trabalho, apoiadores e colaboradores que acreditem no que você está tentando. Mas o MasterMind adequadamente planejado *sempre* acreditará em você e dará apoio extra. É uma força prática e moralizadora. Mas só permanecerá assim mediante a harmonia interna. Esse é mais um motivo para nunca permitir que o MasterMind descambe em fofoca ou livre vazão de opiniões. Mesmo fora dos encontros agendados, os membros devem tomar cuidado para evitar essas práticas. Aproveite a oportunidade para rever o compromisso de "não fofocar" no Capítulo 1. Releia-o agora.

Em uma visita a Bangladesh em 2017, o papa Francisco chamou a fofoca de "uma espécie de terrorismo" e a classificou como uma das formas "mais mortais e mais comuns" de desintegração social. "Quantas comunidades religiosas foram destruídas por causa de um espírito de fofocagem?", perguntou ele. O mesmo vale para qualquer irmandade. Quanto mais se mantiverem formas frívolas ou destrutivas de comunicação fora do grupo de MasterMind, maior será a sua serventia.

Exploramos uma ampla variedade de dinâmicas de grupo neste capítulo. Napoleon Hill, em certo sentido, foi pioneiro em uma das mais poderosas e difundidas ferramentas de autoajuda do século 20 e em nosso tempo: o grupo de apoio. A teoria do MasterMind, inicialmente articulada em 1928, antecedeu a formação dos Alcoólicos

Anônimos, em 1935, que ajudou a popularizar o conceito dos "doze passos" e da "reunião do grupo". (O último foi praticado já em 1910, pelo filósofo espiritual G.I. Gurdjieff.)

Embora o objetivo dos Alcoólicos Anônimos seja singular – manter a sobriedade –, o movimento geral de doze passos surgido a partir dele aborda todos os tipos de necessidades da vida. Os problemas e aspirações que um indivíduo pode levar para o MasterMind também são ilimitados.

Existe um elo na dinâmica e composição do MasterMind e dos grupos de apoio. Os membros de um grupo podem aprender com experiências verificadas em outro. De fato, dois dos quatro membros regulares do meu MasterMind são ativos em grupos de doze passos. Os movimentos compartilham valores fundamentais: fé, persistência e dedicação à ajuda mútua. Agora vamos explorar os *insights* complementares de cada um.

O PODER DO APOIO DOS COMPANHEIROS

Certa vez falei para um amigo filósofo que me parecia que a era dos grandes professores havia acabado. O final do século 19 e o início do século 20, comentei, viram uma onda de professores espirituais inovadores, icônicos e, em certos casos, extraordinariamente importantes – do inigualável sábio Jiddu Krishnamurti ao imensamente importante filósofo espiritual Gurdjieff e ao místico cristão e canalizador Edgar Cayce. Nossa época, embora cheia de personalidades pitorescas e contagiantes, parece carecer de professores de real peso e relevância para a posteridade. Ao caçar seguidores nas mídias sociais, postar artigos chamativos para ganhar curtidas e criar "marcas" para si, muitos dos autointitulados gurus de hoje transmitem certa vulgaridade.

"Por que", perguntei a meu amigo, "não temos grandes professores hoje em dia?"

"Hoje em dia temos o grupo", respondeu ele.

Por "grupo" ele se referiu a um tipo especial e específico de reunião. Acho que ele concordaria que existem vários tipos significativos de grupo em nossa cultura atual. Um dos mais importantes é o grupo de recuperação, nascido da tradição dos doze passos. Tudo o que escrevi sobre as qualidades de um grupo de MasterMind se aplica aos grupos de recuperação. Se você está em um grupo de recuperação, como Alcoólicos Anônimos, você está na verdade experimentando os benefícios e as potencialidades de uma sociedade de MasterMind, pelo menos em uma área da sua vida: a busca da sobriedade. Mas os doze passos podem ser usados para quaisquer questões da vida, de jogo a endividamento, e, uma vez que o modelo do grupo de recuperação é tão vital e prevalente em nossa cultura e transmite e contém muitas das qualidades de um grupo de MasterMind, quero chamar a atenção rapidamente para as origens e o funcionamento dos grupos de recuperação. Minha esperança é que este capítulo e este livro aprofundem a experiência tanto do MasterMind quanto dos grupos de apoio e mostre como eles se inter-relacionam.

Deixe-me observar que um grupo de recuperação não deve ser visto como um substituto para o MasterMind, e vice-versa. Cada um tem propósito e razão de ser distintos. Mas os doze passos são um movimento irmão e, para algumas pessoas (inclusive no meu grupo), um complemento. Nosso entendimento de um grupo pode ampliar e facilitar nossa participação no outro.

Recuperação e MasterMind

Juntamente com Napoleon Hill, provavelmente não houve no século 20 personalidades mais importantes na formação da cultura de autoajuda e de auxílio mútuo do que Bill Wilson e Bob Smith, cofundadores dos Alcoólicos Anônimos. Nascidos em Vermont, Wilson e Smith se conheceram em maio de 1935 em Akron, Ohio. Bill era um alcoolista sóbrio havia pouco tempo que viajava a negócios vindo de Nova York. Sozinho em um hotel, estava desesperado por uma bebida. Esquadrinhou um guia local de igrejas em busca de um ministro que pudesse ajudá-lo a encontrar outro bêbado para conversar. Bill teve a ideia de que, se conseguisse localizar outro alcoolista para conversar e ajudar, poderia aliviar a própria ânsia por bebida.

Naquele dia, Bill encontrou Bob Smith, um médico local que havia travado uma longa batalha perdida contra o álcool. Ambos haviam passado anos experimentando diferentes ideias e tratamentos. Quando se encontraram em Akron, no entanto, descobriram que a decisão interior de parar de beber aumentava na mesma proporção da capacidade de aconselhar o outro. A amizade de Wilson e Smith resultou na fundação dos Alcoólicos Anônimos e da moderna irmandade dos doze passos.

Bill Wilson e Bob Smith pareciam tão americanos quanto seus nomes. Em seu aspecto, roupas e política, os dois eram tão conservadores quanto um banqueiro antiquado, o que Wilson de fato era. Mas cada homem era também um aventureiro espiritual, comprometido em atravessar o terreno da experiência metafísica, do Novo Pensamento à metafísica oriental, em busca de uma solução viável para o vício. Juntos, teceram temas cristãos, swedenborgianos,* junguianos, da ciência cristã e do Novo Pensamento nos doze passos dos Alcoólicos Anônimos.

Embora inicialmente concebida para o alcoolismo, a abordagem do AA deu origem ao movimento moderno de recuperação. Seu modelo de doze passos mais tarde foi usado para tratar problemas que englobam dependência de drogas, jogo compulsivo, controle de peso, gastos excessivos e raiva crônica. O AA alterou a linguagem norte-americana, instituindo expressões como "vai com calma", "um dia de cada vez", "primeiro o mais importante" e "deixa ir e vai com Deus". Sua literatura também popularizou um termo ecumênico para o sagrado: Poder Superior. (Para Hill, é claro, era MasterMind ou Inteligência Infinita.) Essa expressão apareceu no princípio-chave do grupo de que "a defesa" do alcoolista "deve vir de um Poder Superior", como Bill Wilson escreveu em 1939. Mas Wilson e Smith insistiram em que os seguidores dos doze passos deveriam formar a própria concepção de Deus, conforme prega o terceiro passo (ver abaixo). "Poder Superior" captou muito bem o ecumenismo radical que eles buscavam.

Bill codificou sua experiência espiritual nos três primeiros passos, uma espécie de modelo para uma experiência de despertar ou conversão. Os três tópicos foram escritos de tal maneira que a palavra "álcool" poderia ser substituída por qualquer outra fixação compulsiva, como raiva, drogas ou gastos:

1. Admitimos que éramos impotentes perante o álcool – que tínhamos perdido o domínio sobre nossas vidas.

---

* Referentes à filosofia de Emanuel Swedenborg, místico do século 18, explorada no Apêndice 1.

2. Viemos a acreditar que um Poder Superior a nós mesmos poderia devolver-nos à sanidade.

3. Decidimos entregar nossa vontade e nossa vida aos cuidados de Deus, na forma em que o concebíamos.

Atuando como o escritor principal, Bill publicou os doze passos em 1939, no que ficou conhecido como o "Grande Livro", *Alcoólicos Anônimos*. Embora o trabalho de William James fosse fundamental para Bill, muitas outras influências moldaram sua visão, incluindo os ensinamentos do Grupo de Oxford, uma sociedade evangélica dedicada à ajuda mútua. Um dos princípios centrais do Grupo de Oxford era que a mente sensível e pesquisadora poderia levar à experiência de um Poder Superior. Em certo sentido, este também é o objetivo subjacente do MasterMind: acessar e aplicar energias mais elevadas da mente, da intuição e da perspectiva por meio de uma experiência da Inteligência Infinita.

Para facilitar o programa, o Grupo de Oxford foi pioneiro no uso de reuniões de grupo ou "festas em casa". Estas ocorriam em um ambiente de confissão, meditação, testemunhos compartilhados e preces conjuntas. A ajuda mútua e a terapia leiga eram fundamentais no programa de Oxford e deram origem a uma estrutura semelhante no AA.* Houve também um reflexo indireto no MasterMind.

---

* Houve sérias controvérsias a respeito da cultura interna e da liderança do Grupo de Oxford, que examino em meu livro *One Simple Idea: How Positive Thinking Reshaped Modern Life* (Uma simples ideia: como o pensamento positivo reformulou a vida moderna).

Superior *versus* inferior

Um dos eventos marcantes da vida de Bill Wilson foi a correspondência trocada com Carl Jung em janeiro de 1961, nos últimos meses da vida do psicólogo. Bill queria contar a Jung como suas ideias também haviam influenciado os pioneiros dos doze passos. Para deleite de Bill, o psicólogo respondeu com uma longa carta de aprovação em 30 de janeiro. Jung repetiu para Bill sua fórmula para superar o alcoolismo: *spiritus contra spiritum*. A frase em latim poderia ser toscamente traduzida como "espírito superior sobre espíritos inferiores", ou álcool. Eram os doze passos em poucas palavras. Esse mesmo espírito superior, ou Inteligência Infinita, é o que Napoleon Hill esperava explorar por meio do MasterMind. Hill considerava o pensamento, particularmente o subconsciente, um veículo entre o homem e as energias superiores.

Como já notei, não é necessário ver o MasterMind como um grupo espiritual – para muitas pessoas não é. Contudo, da mesma forma que Bill Wilson e seus colaboradores entenderam a reunião do grupo como fornecedora de uma forma adicional e às vezes inefável de energia e *insight* para os esforços de seus membros, Hill viu essa dinâmica em ação no MasterMind.

Embora o programa de Hill seja voltado à realização individual, ele também alertou contra uma abordagem "vá sozinho", o que também é tema deste livro. Para citá-lo de novo sobre o assunto: "Nenhum indivíduo obtém grande poder sem fazer uso do MasterMind". Hill continuou: "Se executar essas instruções com persistência e inteligência e usar de discriminação na seleção de seu grupo de MasterMind, você estará a meio caminho de atingir seu objetivo antes mesmo de começar a reconhecê-lo".

Ao se referir à "fase psíquica" do MasterMind, Hill escreveu em termos que poderiam ter vindo de Bill Wilson: "A mente humana é uma forma de energia, parte dela de natureza espiritual. Quando as mentes de duas pessoas são coordenadas em espírito de harmonia, as unidades espirituais de energia de cada mente entram em afinidade".

Mais uma vez, Hill não insistiu em nenhuma visão espiritual ou religiosa – longe disso. Como professor, ele, a exemplo de Bill Wilson, era radicalmente indiferente à perspectiva espiritual pessoal do aluno. Se você considera a linguagem metafísica desagradável, pode facilmente – e de forma válida – ver o processo de agrupamento de intelectos, ou o surgimento de uma "terceira mente" como uma metáfora; considere-a como um resultado amplamente reconhecido do processo colaborativo que resulta dos esforços de um grupo harmonioso que intensifica os *insights* e a perspicácia criativa de todos os seus membros. (Hill também usou a metáfora da "energia do pensamento" para comparar um grupo de mentes cooperativas a baterias elétricas conjugadas.) Nesse sentido, imagine a sala de controle de missões da NASA (para uma dramatização maravilhosa, veja o filme *Apollo 13*), a lendária garagem onde Steve Jobs e Steve Wozniak fundaram a Apple, ou os signatários da Declaração da Independência descritos por Hill no capítulo anterior.

Tudo isso explica por que o elemento de grupo de apoio do programa de Hill – tão fácil de negligenciar em nossa era digital, em que nos concentramos individualmente em telas e dispositivos – permanece tão crítico no século 21 quanto quando Hill articulou a ideia pela primeira vez, na década de 1920.

HORA DA AÇÃO
Lembretes de MasterMind

A força dos modelos de doze passos, de MasterMind e de apoio mútuo pode alcançá-lo por meio de canais inesperados. Para minha sogra, Terri Orr, reitora aposentada da faculdade de medicina de Harvard e uma mulher de realizações extraordinárias, uma fonte especial de poder e ajuda pessoal chegou por intermédio do hábito de escrever pequenos lembretes de fé afirmativa, parte de suas atividades de doze passos. Com efeito, a escrita e o compartilhamento de afirmações tornaram-se o método de Terri de transmitir o poder do MasterMind.

Essa prática foi a primeira coisa que notei há mais de vinte anos, quando nos conhecemos. Os cômodos da atravancada casa geminada de Terri em Waltham, Massachusetts, onde sozinha ela criou duas filhas e cuidou de uma mãe idosa, estavam forrados – geladeira, armário de remédios, bancada da pia da cozinha, espelhos e portas de armários – com cartõezinhos nos quais todos os dias ela escrevia citações, lemas, princípios dos doze passos e passagens bíblicas, tais como:

"Ser muito sério sobre tudo o que tenho a fazer pode me tornar irrealista."

"Quando eu vou parar de ir à loja de ferragens para buscar leite?"

"Se alguém fala mal de você, viva de modo que ninguém acredite."

"Não é a minha vida, é apenas meu almoço."

Um dos cartões favoritos de Terri – "esperar tem mais poder do que uma decisão intempestiva" – mostrou-se um conselho útil para um estudante de medicina de Harvard. Um dia, ela estava conversando com o aluno em uma máquina de café. Ele confidenciou que estava tendo problemas com a namorada – tinha dúvidas quanto ao futuro deles e sobre forçar um compromisso. Como administradora de ajuda financeira, Terri costumava ouvir sobre a vida pessoal dos alunos. "Quando fala sobre dinheiro com um aluno", observou ela, "você entra em detalhes familiares muito íntimos. Assim, eu conhecia meus alunos muito bem. E pude dizer a este: 'Esperar tem mais poder do que uma decisão intempestiva' – e os olhos dele se arregalaram. Não sei qual foi o resultado, mas naquele momento pareceu ser útil para ele, como tinha sido para mim. Muitas vezes descobri que poderia haver uma mensagem nos cartões que eu poderia passar para outras pessoas." Era o princípio do MasterMind em ação.

Anote pelo menos três aforismos pessoais que você gostaria de compartilhar com seu grupo de MasterMind. Leve-os na próxima reunião e peça aos outros para que façam o mesmo. Você pode reservar um tempo no final para todos lerem seus aforismos. Aqui estão alguns dos que foram citados em minhas reuniões:

"Uma sacola cheia é pesada, mas uma sacola vazia é mais pesada." (Provérbio judaico)

"Perfeito é bom, feito é melhor." (Terri Orr)

"Continue socando." (Lou Murray)

> "O índice infalível de progresso verdadeiro é encontrado no tom que o homem adota." (Emerson, "A Superalma")
>
> "O medo desaparece quando você pisa bem em cima dele."
>
> "Deus fala em princípios, não em acontecimentos."

Quais os seus aforismos de vida?

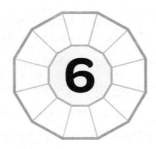

THINK AND GROW RICH: O ESTILO DE VIDA MASTERMIND

Como observei anteriormente, *Think and Grow Rich* é a base de muitas das ideias deste livro. O trabalho de 1937 de Hill é uma leitura essencial. Provavelmente tocou mais pessoas do que qualquer outra obra moderna de autoajuda. Conheci artistas, empresários, médicos, professores, atletas – gente de diferentes profissões e com objetivos externos aparentemente diferentes – que atestaram que *Think and Grow Rich* fez uma diferença decisiva em suas vidas.

Faça um pequeno experimento pessoal: carregue uma cópia de *Think and Grow Rich* à vista em um aeroporto, supermercado, shopping center ou qualquer lugar público e veja se mais de uma pessoa não para e diz algo do tipo: "Ei, esse é um livro ótimo". Se você fizer isso mais de uma vez, ficará impressionado com a diversidade de pessoas que se aproximará.

Think and Grow Rich vendeu muitos milhões de cópias em todo o mundo desde o lançamento, mas não é essa a verdadeira medida do seu sucesso. Muitos livros gozam de popularidade por um tempo, mas deixam de ser lidos e às vezes somem cerca de uma década depois da publicação. *Think and Grow Rich*, porém, tem crescido em influência desde a morte de Hill, em 1970. Suas ideias são a base da maioria das atuais filosofias de motivação nos negócios e realização pessoal. Além disso, o livro deu às pessoas uma noção de suas reais possibilidades. Concedeu aos leitores o mais raro dos presentes: autoconfiança realista. É uma filosofia que eleva o indivíduo.

Por isso ofereço este capítulo como um resumo confiável de *Think and Grow Rich*, que pode ser usado por você e seus colegas de MasterMind para refrescar a memória. Não é um substituto para o original, mas é uma cartilha robusta e um lembrete dos princípios desse trabalho seminal. Utilize-o sempre que tiver dúvidas sobre a jornada de MasterMind ou se sentir inseguro quanto ao caminho.

Ao ler ou reler esses treze passos, tenha sempre em mente como pode levá-los a seu grupo de MasterMind para expansão e aplicação. O MasterMind é o agente que une e amplifica seus planos – de fato, você verá que várias dessas etapas se referem a ele. Os membros do seu grupo o ajudarão a ver e executar essas etapas a partir de ângulos inesperados e a encontrar novas possibilidades.

Caso depare com etapas que anteriormente negligenciou ou que precisam ser renovadas (todos nós as temos), anote-as como itens especiais a serem usados com seus parceiros de MasterMind. Aqui está o conselho de Hill em *Think and Grow Rich*, com a ênfase do original:

> Todo plano que você adota em seu esforço para acumular riqueza deveria ser uma criação conjunta com outros membros do grupo de MasterMind. Você pode criar os próprios planos, no todo ou em parte, mas CUIDE PARA QUE OS PLANOS SEJAM VERIFICADOS E APROVADOS PELOS MEMBROS DA SUA ALIANÇA DE MASTERMIND.

Essa condensação conserva a grande maioria dos termos originais e escolhas estilísticas de Hill, para preservar da maneira mais fiel possível sua forma de expressão e prioridades.

Desejo: o primeiro passo para a riqueza

No início do século 20, um grande vendedor e empresário americano chamado Edwin C. Barnes descobriu como realmente se pensa e enriquece. A descoberta de Barnes não veio de uma só vez. Veio pouco a pouco, começando com um desejo avassalador de se tornar sócio comercial do inventor Thomas Edison. Uma das principais características do desejo de Barnes era a exatidão. Barnes queria trabalhar *com* Edison – não apenas *para* ele.

Barnes desembarcou de um trem de carga e na sequência imediata se apresentou no laboratório de Edison em New Jersey, em 1905. Anunciou que tinha vindo para fazer negócios com o inventor. Ao falar daquele encontro anos depois, Edison disse: "Parado ali diante de mim, ele parecia um vagabundo comum, mas havia algo em seu semblante que transmitia a impressão de que estava determinado a conseguir o que tinha vindo buscar".

Barnes não conseguiu a parceria na primeira entrevista. Contudo, recebeu uma oportunidade de trabalhar nos escritórios de Edison com um salário irrisório, fazendo um trabalho sem importância para o inventor, mas muito importante para Barnes, porque lhe dava a oportunidade de mostrar suas habilidades para o futuro "parceiro".

Passaram-se meses. Externamente, nada aconteceu para levar Barnes para mais perto de seu objetivo. Mas algo importante acontecia na mente de Barnes. Ele intensificava constantemente o desejo principal e os planos de se tornar sócio comercial de Edison. Barnes estava determinado a permanecer de prontidão até ter a oportunidade que viera buscar.

Quando a "grande chance" chegou, foi de forma diferente e de uma direção diferente do que Barnes esperava. Esse é um dos truques da oportunidade – o hábito astuto de entrar pela porta dos fundos e muitas vezes disfarçada de infortúnio ou derrota temporária. Talvez seja por isso que muitos deixam de esperar – ou reconhecer – a oportunidade quando ela chega.

Edison tinha acabado de aperfeiçoar um novo dispositivo, então conhecido como Máquina de Ditar de Edison. Seus vendedores não estavam entusiasmados. Mas Barnes viu sua oportunidade escondida em uma engenhoca de aparência estranha que não interessava a ninguém. Aproveitou a oportunidade para vender a máquina de ditar e fez isso com tanto sucesso que Edison lhe deu um contrato para distribuir e comercializar o aparelho em todo o mundo.

Quando Edwin C. Barnes desceu daquele trem de carga em Orange, New Jersey, tinha uma obsessão avassaladora: tornar-se sócio comercial do grande inventor. O desejo de Barnes não era uma esperança. Não era uma vontade. Era um desejo agudo e pulsante que transcendia todo o resto. Era categórico.

Uma mera vontade não trará riquezas ou outras formas de sucesso. Mas desejar a riqueza com um estado mental que se torne uma obsessão, a seguir planejar formas e meios definidos para adquirir riqueza e apoiar esses planos com uma persistência que não reconheça o fracasso trará sucesso.

O método pelo qual o desejo pode ser transmutado em seu equivalente financeiro consiste em seis etapas práticas e definidas.

1. Fixe em sua mente a quantidade exata de dinheiro que você deseja. Não basta apenas dizer: "Quero muito dinheiro". Seja preciso quanto ao montante.

2. Determine exatamente o que você pretende dar em troca do dinheiro que deseja.

3. Estabeleça uma data definitiva em que pretende estar de posse do dinheiro que deseja.

4. Crie um plano definido para realizar o seu desejo e comece imediatamente, esteja pronto ou não, a colocar esse plano em prática.

5. Escreva uma declaração clara e concisa sobre o montante de dinheiro que pretende adquirir, coloque o prazo para a aquisição, indique o que pretende dar em troca do dinheiro e descreva claramente o plano com o qual pretende acumulá-lo.

6. Leia a sua declaração escrita em voz alta duas vezes por dia, uma vez antes de se recolher à noite e uma vez ao acordar pela manhã. Enquanto lê, veja, sinta e acredite que já está de posse do dinheiro.

É especialmente importante que você observe e siga o número 6. Você pode reclamar que é impossível ver-se em posse do dinheiro antes de realmente tê-lo. É aqui que o desejo ardente virá em seu auxílio. Se você realmente deseja dinheiro ou outro objetivo com tamanha intensidade que seu desejo seja uma obsessão, não terá dificuldade de se convencer de que irá adquiri-lo. O objetivo é querer tanto e ficar tão determinado que você se convence de que terá.

Fé: o segundo passo para a riqueza

A fé é a química-chefe da mente. Quando a fé se mistura com a vibração do pensamento, a mente subconsciente instantaneamente capta a vibração, traduz essa vibração em seu equivalente espiritual e a transmite à Inteligência Infinita, como acontece no caso da oração. Todos os pensamentos dotados de emoção e misturados com fé começam imediatamente a se traduzir em seu equivalente físico.

Se você tiver dificuldade de entender exatamente o que é fé, pense nela como uma forma especial de persistência – aquilo que sentimos quando sabemos que temos o respaldo da razão e que nos ajuda a perseverar em meio a reveses e fracassos temporários.

Para desenvolver essa qualidade, use esta fórmula de cinco etapas. Prometa-se ler, repetir e cumprir estes passos – e registre sua promessa por escrito.

1. Sei que tenho capacidade de alcançar meu objetivo definido na vida, portanto, exijo de mim ação persistente e contínua para a sua realização, e aqui e agora prometo executar tal ação.

2. Percebo que os pensamentos dominantes de minha mente acabam se reproduzindo em ação física externa e gradualmente se transformam em realidade física. Portanto, concentrarei meus pensamentos durante trinta minutos por dia na tarefa de pensar na pessoa que pretendo me tornar, criando assim em minha mente uma imagem clara dessa pessoa.

3. Sei que, mediante a autossugestão [as sugestões que fazemos a nós mesmos, ver a etapa a seguir], qualquer desejo que eu mantenha em mente com persistência acabará por buscar expressão por meios práticos para atingir o objetivo. Portanto, dedicarei dez minutos por dia para exigir de mim mesmo o desenvolvimento da autoconfiança.

4. Escrevi uma descrição clara do meu objetivo principal definido na vida e jamais pararei de tentar até ter desenvolvido autoconfiança suficiente para a sua realização.

5. Compreendo perfeitamente que nenhuma riqueza ou posição pode durar muito a menos que baseada na verdade e na justiça. Portanto, não participarei de nenhuma transação que não beneficie a todos os envolvidos. Conseguirei atrair para mim as forças que desejo usar e a cooperação de outras pessoas. Vou induzir os outros a me servir por causa da minha vontade de servir aos outros. Eliminarei o ódio, a inveja, o ciúme, o egoísmo e o cinismo desenvolvendo

amor por toda a humanidade, porque sei que uma atitude negativa em relação aos outros jamais poderá me trazer sucesso. Farei com que os outros acreditem em mim porque acredito neles e em mim mesmo.

Assinarei meu nome nessa fórmula, memorizarei e repetirei o texto em voz alta uma vez por dia, com fé plena de que gradualmente influenciará meus pensamentos e ações, de modo que me tornarei uma pessoa autoconfiante e bem-sucedida.

Autossugestão:
o terceiro passo para a riqueza

Autossugestão é um termo que se aplica a todas as sugestões e estímulos administrados pelo próprio indivíduo e que chegam à sua mente pelos cinco sentidos. Dito de outra maneira: autossugestão é sugestão empreendida pelo próprio indivíduo. É o meio de comunicação entre as mentes consciente e subconsciente. Todavia, a mente subconsciente só reconhece e age sobre pensamentos bem misturados com emoção ou sentimento. Esse é um fato de tamanha importância que justifica a repetição.

Quando você começar a usar – e seguir usando – o programa de três etapas para autossugestão deste segmento, fique atento aos palpites de sua mente subconsciente e, quando eles aparecerem, coloque-os em ação imediatamente.

1. Vá para algum lugar tranquilo (de preferência a cama, à noite) onde você não será perturbado ou interrompido, feche os olhos

e repita em voz alta (para que possa ouvir as palavras) a declaração que escreveu sobre a quantidade de dinheiro que pretende acumular, o prazo para a acumulação e a descrição do serviço ou mercadoria que pretende entregar em troca do dinheiro. Enquanto executa essas instruções, veja-se já de posse do dinheiro.

Por exemplo, suponha que pretenda acumular US$ 50 mil até 1° de janeiro daqui a cinco anos e que em troca pretenda prestar serviços na atividade de vendedor. Sua declaração por escrito do propósito deve ser semelhante à seguinte:

Até 1° de janeiro de _____, terei em minha posse US$ 50 mil, que virão para mim em vários valores de tempos em tempos nesse ínterim. Em troca desse dinheiro, oferecerei o serviço mais eficiente de que sou capaz, prestando a maior quantidade possível e a melhor qualidade de serviço possível na qualidade de vendedor de _____ (descrever o serviço ou mercadoria que pretende vender).

Acredito que terei esse dinheiro sob minha posse. Minha fé é tão grande que posso ver esse dinheiro diante de meus olhos agora. Posso tocá-lo com minhas mãos. Neste instante, o dinheiro está à espera para ser transferido no momento e na proporção em que presto o serviço que pretendo realizar em troca dele. Estou aguardando

um plano para acumular esse dinheiro e seguirei
esse plano quando o receber.

2. Repita esse programa à noite e pela manhã até poder ver (na imaginação) o dinheiro que pretende acumular.

3. Coloque uma cópia escrita de sua declaração onde você possa vê-la à noite e pela manhã e leia imediatamente antes de se recolher e após se levantar, até memorizá-la.

Conhecimento especializado: o quarto passo para a riqueza

O conhecimento geral, não importa quão grande em quantidade ou variedade, é de pouca utilidade na acumulação de dinheiro. Conhecimento é poder apenas potencial. Só se torna poder quando e se organizado em planos de ação definidos e direcionado a um fim definido.

Você deve decidir de que tipo de conhecimento especializado precisa para atingir seu objetivo. Em larga medida, seu principal objetivo de vida e a meta para a qual está trabalhando ajudarão a determinar de que conhecimento você precisa. Com essa questão resolvida, o próximo passo requer informações precisas de fontes confiáveis de conhecimento.

Examine muitas fontes de alta qualidade para o conhecimento que procura: pessoas, cursos, parcerias, livros – procure por toda parte. Parte desse conhecimento será grátis – nunca subestime o que é gratuito –, e parte exigirá compra. Determine qual o conhecimento que procura e busque-o exaustivamente. O autor [Napoleon Hill] passou mais de vinte anos entrevistando pessoas e estudando métodos de sucesso antes de escrever *Think and Grow Rich*.

Sem conhecimento especializado, suas ideias permanecem meros desejos. Depois de adquirir o conhecimento necessário, você pode usar a faculdade essencial da imaginação para combinar suas ideias com o conhecimento especializado e fazer planos organizados para atingir suas metas.

Esta é a fórmula para a capacitação: usar a imaginação para combinar conhecimento especializado com ideias e elaborar planos organizados.

O elemento de ligação é a imaginação, que agora aprenderemos a cultivar.

Imaginação: o quinto passo para a riqueza

A imaginação é a oficina onde são moldados todos os planos criados pelo homem. O impulso, o desejo, literalmente adquire contornos, forma e ação com a ajuda da faculdade imaginativa da mente. Por meio da imaginação criativa, a mente finita do homem tem comunicação direta com a Inteligência Infinita. Imaginação é a faculdade pela qual se obtêm "palpites" e "inspirações". É por essa faculdade que todas as ideias básicas ou novas são entregues ao homem. É por essa faculdade que as vibrações de pensamento da mente dos outros são recebidas. É por essa faculdade que um indivíduo pode "sintonizar" ou se comunicar com a mente subconsciente dos outros.

A imaginação criativa só funciona quando a mente consciente é estimulada pela emoção de um forte desejo. Isso é altamente significativo.

Além disso, a faculdade criativa pode se tornar fraca pela inação. Sua imaginação se torna mais alerta e mais receptiva na proporção em que é usada.

Depois de ter concluído este livro, volte a este trecho e comece imediatamente a colocar sua imaginação para trabalhar na elaboração de um plano ou planos para transmutar o desejo em dinheiro ou em seu objetivo principal. Resuma seu plano por escrito. No momento em que completar isso, você decididamente terá dado forma concreta ao desejo intangível.

Este passo é extremamente importante. Quando resume por escrito a afirmação de seu desejo e o plano para sua realização, você de fato dá o primeiro de uma série de passos que lhe permitirão transformar seu pensamento em sua contraparte física.

Planejamento organizado: o sexto passo para a riqueza

É vital que você formule um plano (ou planos) definido(s) e prático(s) para cumprir seus objetivos. Agora você aprenderá a elaborar planos práticos da seguinte maneira:

1. Alie-se com um grupo de quantas pessoas forem necessárias para a criação e execução de seu plano ou planos para acumular dinheiro, utilizando o MasterMind. (Conforme observado, o cumprimento dessa instrução é essencial. Não a negligencie.)

2. Antes de formar sua aliança de MasterMind, decida quais vantagens e benefícios você pode oferecer a cada membro de

seu grupo em troca da cooperação. Conforme já explorado, ninguém vai trabalhar indefinidamente sem alguma forma de compensação. Nenhuma pessoa inteligente vai solicitar ou esperar que outra trabalhe sem uma compensação adequada, embora nem sempre na forma de dinheiro.

3. Organize-se para se reunir com os membros do MasterMind pelo menos duas vezes por semana,[*] e com maior frequência se possível, até vocês terem aperfeiçoado o plano ou planos necessários para a acumulação de dinheiro.

4. Mantenha a perfeita harmonia entre você e todos os membros do grupo de MasterMind. Se deixar de levar a cabo essa instrução ao pé da letra, pode esperar o fracasso. O MasterMind não consegue ter êxito onde a perfeita harmonia não prevalece.

Tenha em mente os seguintes fatos:

1. Você está envolvido em uma tarefa da maior importância para você. Para ter certeza do sucesso, deve ter planos impecáveis.

2. Você deve ter a vantagem da experiência, educação, habilidade nata e imaginação de outras mentes. Isso está em harmonia com os métodos seguidos por todas as pessoas que acumularam grandes fortunas.

---

[*] Modifiquei a instrução para uma vez por semana, pois acho mais prático para o mundo de hoje. Se as circunstâncias permitirem, vocês com certeza podem se reunir mais de uma vez por semana.

Agora, se o primeiro plano que você planejar não funcionar com sucesso, substitua-o por um novo plano. Se o novo plano não funcionar, substitua-o por outro, e assim por diante, até encontrar um plano que funcione. Bem aqui está o ponto onde a maioria dos homens depara com o fracasso, pela falta de persistência para criar planos para substituir os que falham. Quando seus planos falharem, lembre-se: a derrota temporária não é um fracasso permanente.

Nenhum seguidor sensato dessa filosofia pode esperar acumular uma fortuna sem experimentar uma "derrota temporária". Quando a derrota chegar, aceite-a como um sinal de que seus planos não são sólidos, refaça tais planos e parta mais uma vez em direção ao objetivo.

Por fim, enquanto elabora seus planos, tenha em mente estes principais atributos da liderança, características exibidas pelos maiores empreendedores:

1. Coragem inabalável
2. Autocontrole
3. Senso aguçado de justiça
4. Decisão firme
5. Planos definidos
6. Hábito de fazer mais do que é pago para fazer
7. Personalidade agradável
8. Simpatia e compreensão
9. Domínio dos detalhes
10. Disposição para assumir plena responsabilidade
11. Cooperação com os outros

Decisão: o sétimo passo para a riqueza

A análise de várias centenas de pessoas que acumularam fortunas revelou que todas elas tinham o hábito de chegar a decisões prontamente e de mudar tais decisões lentamente, se e quando o faziam. As pessoas que fracassam em acumular dinheiro têm, sem exceção, o hábito de tomar decisões, se é que tomam alguma, muito lentamente e de mudar essas decisões com rapidez e frequência.

Além disso, a maioria das pessoas que fracassam em acumular dinheiro suficiente para suas necessidades tende a ser facilmente influenciada pelas "opiniões" dos outros. Como observado, "opiniões" são as *commodities* mais baratas do mundo. Todos têm um monte de opiniões prontas para serem dadas a qualquer um que as aceite. Se você for influenciado por "opiniões", quando chegar a decisões não terá sucesso em nenhum empreendimento, muito menos em transmutar seu desejo em dinheiro.

Se você for influenciado pelas opiniões dos outros, não terá um desejo próprio. Mantenha seus planos para si quando começar a praticar os princípios descritos aqui, chegando a decisões por si e seguindo-as.

Não faça confidências a ninguém, exceto aos membros do MasterMind, e certifique-se muito bem de, na seleção desse grupo, escolher apenas aqueles que manifestem completo entendimento e harmonia em relação a seu propósito.

Amigos próximos e parentes, embora não façam por mal, muitas vezes prejudicam com "opiniões" e às vezes ridicularização que pretende ser engraçada. Milhares de homens e mulheres carregam complexos de inferioridade ao longo da vida porque alguma pessoa bem-intencionada, mas ignorante, destruiu sua confiança com "opiniões" ou ridicularização.

Você tem uma mente. Use-a e chegue a decisões próprias. Se precisar de fatos ou informações de outras pessoas para tomar decisões, como provavelmente precisará em muitos casos, adquira tais fatos ou informações silenciosamente, sem revelar o propósito.

Aqueles que chegam a decisões pronta e definitivamente sabem o que querem e geralmente conseguem. Líderes em todas as esferas da vida decidem rápida e firmemente. Esse é o principal motivo pelo qual são líderes. O mundo tem o hábito de abrir espaço para o homem cujas palavras e ações mostram que ele sabe para onde está indo.

Persistência: o oitavo passo para a riqueza

A persistência é um fator essencial na transmutação do desejo em seu equivalente monetário. A base da persistência é a força de vontade.

Quando combinados adequadamente, força de vontade e desejo formam um par irresistível. Aqueles que acumulam grandes fortunas geralmente são conhecidos como homens de sangue frio e às vezes implacáveis. Muitas vezes são mal interpretados. O que eles têm é força de vontade, que misturam com persistência e colocam por trás de seus desejos para assegurar a realização dos objetivos.

Falta de persistência é uma das principais causas de fracasso. A experiência com milhares de pessoas provou que a falta de persistência é uma fraqueza comum à maioria dos homens. É uma fraqueza que pode ser superada pelo esforço. A facilidade com que a falta de persistência pode ser vencida depende inteiramente da intensidade do desejo.

Em resumo, não há substituto para a persistência. Ela não pode ser suplantada por nenhuma outra qualidade. Lembre-se disso, e essa lembrança o animará no começo, quando as coisas parecerem difíceis e lentas.

Aqueles que cultivam o hábito da persistência parecem desfrutar de um seguro contra o fracasso. Não importa quantas vezes sejam derrotados, por fim chegam ao topo da escada. Às vezes parece haver um guia oculto cujo dever é testar os homens por meio de todos os tipos de experiências desencorajadoras. Aqueles que se levantam após a derrota e continuam tentando chegam ao destino. O guia oculto não permite que ninguém desfrute de grandes conquistas sem passar pelo teste da persistência.

O que nós não vemos, o que a maioria de nós nem suspeita existir, é o poder silencioso mas irresistível que vem em socorro daqueles que lutam diante do desânimo. Se alguma vez falamos desse poder, o chamamos de persistência.

Existem quatro etapas simples que levam ao hábito de persistência:

1. Um objetivo definido apoiado pelo desejo ardente de realização.

2. Um plano definido, expresso em ação contínua.

3. Uma mente firmemente fechada a todas as influências negativas e desanimadoras, inclusive sugestões negativas de parentes, amigos e conhecidos.

4. Uma aliança amigável com uma ou mais pessoas que o encorajarão a executar tanto o plano quanto o propósito.

MasterMind: o nono passo para a riqueza

Chegamos agora ao ponto central deste livro. Como observado anteriormente, o MasterMind pode ser definido como "a coordenação e o esforço, em espírito de harmonia, entre duas ou mais pessoas para a realização de um objetivo definido".

Nenhum indivíduo obtém grande poder sem fazer uso do MasterMind. O sexto passo forneceu instruções para a criação de planos com o objetivo de traduzir o desejo em seu equivalente monetário. Se executar essas instruções com persistência e inteligência e usar de discriminação na seleção de seu grupo de MasterMind, você estará a meio caminho de atingir seu objetivo antes mesmo de começar a reconhecê-lo.

O MasterMind traz uma óbvia vantagem econômica, permitindo que você se cerque de recomendações, conselhos e cooperação pessoal de um grupo de pessoas dispostas a lhe conceder ajuda sincera em espírito de perfeita harmonia. Mas também há uma fase mais abstrata, que pode ser chamada de fase psíquica.*

A fase psíquica do MasterMind é mais difícil de compreender porque se refere às forças espirituais com que a humanidade como um todo não está bem familiarizada. Você pode pegar uma sugestão significativa da seguinte afirmação: "Duas mentes nunca se unem sem

---

* Não analiso a questão de um componente "psíquico" para o MasterMind neste livro. Para mais sobre isso, veja meu livro *The Miracle Club* (O clube dos milagres).

com isso criar uma terceira força invisível e intangível que pode ser comparada a uma terceira mente".

A mente humana é uma forma de energia, parte dela de natureza espiritual. Quando as mentes de duas pessoas são coordenadas em espírito de harmonia, as unidades espirituais de energia de cada mente entram em afinidade, o que constitui a fase "psíquica" do MasterMind.

Analise o histórico de qualquer homem que acumulou grande fortuna e o de muitos daqueles que acumularam fortunas modestas e você descobrirá que, de modo consciente ou inconsciente, eles empregaram o MasterMind.

Grande poder não pode ser acumulado por meio de nenhum outro princípio.

Transmutação do sexo: o décimo passo para a riqueza

O significado da palavra "transmutar" é, em linguagem simples, "alterar ou transferir um elemento ou forma de energia em/para outro". A emoção do sexo provoca um estado mental único e poderoso que pode ser usado para fins criativos intelectuais e materiais extraordinários. Isso é alcançado pela transmutação do sexo, o que significa desviar a mente de pensamentos de expressão física para pensamentos de outra natureza.

O sexo é o mais poderoso dos desejos humanos. Quando movidos por esse desejo, os homens desenvolvem imaginação aguçada, coragem, força de vontade, persistência e capacidade criativa desconhecidas em outros momentos. Tão forte e estimulante é o desejo de contato sexual que, para satisfazê-lo, os homens arriscam a vida e a reputação por livre vontade.

Quando aproveitada e redirecionada a outras linhas, essa força motivadora conserva todos os atributos de imaginação, coragem etc., que podem ser usados como poderosas forças criativas na literatura, na arte ou em qualquer outra profissão ou vocação, incluindo, é claro, o acúmulo de riqueza.

Por certo que a transmutação da energia sexual exige o exercício da força de vontade, mas a recompensa vale o esforço. O desejo de expressão sexual é inato e natural. O desejo não pode e não deve ser reprimido ou eliminado. Mas deve ser canalizado para meios de expressão que enriqueçam o corpo, a mente e o espírito. Se não tiver vazão mediante a transmutação, o desejo buscará saídas por meio de canais puramente físicos.

A emoção do sexo é uma "força irresistível". Quando movidos por essa emoção, os homens ficam dotados de superpoderes de ação. Entenda essa verdade e você perceberá o significado da afirmação de que a transmutação do sexo elevará o indivíduo ao status de gênio. A emoção do sexo contém o segredo da capacidade criativa. Quando aproveitada e transmutada, essa força motriz é capaz de elevar os homens àquela esfera superior de pensamento que lhes permite dominar as fontes de preocupação e aborrecimento com picuinhas que assaltam seu caminho no plano inferior.

O principal motivo para a maioria dos homens de sucesso não atingi-lo antes dos 45 anos (ou mais) é a tendência a dissipar energias em excesso na expressão física da emoção do sexo. A maioria dos homens nunca aprende que o impulso do sexo tem outras possibilidades que transcendem em muito a importância da mera expressão física.

Mas lembre-se: a energia sexual deve ser transmutada do desejo de contato físico em outra forma de desejo e ação a fim de alçar o indivíduo ao status de gênio.

Mente subconsciente: o 11º passo para a riqueza

A mente subconsciente é o elo entre a mente finita do homem e a Inteligência Infinita. É a intermediária com que se pode recorrer às forças da Inteligência Infinita à vontade. Só a mente subconsciente contém o processo secreto que modifica e transforma os impulsos mentais em seus equivalentes espirituais. Só ela é o meio capaz de transmitir a prece à fonte capaz de respondê-la.

É difícil abordar a discussão da mente subconsciente sem um sentimento de pequenez e inferioridade, devido talvez ao fato de todo o estoque de conhecimento do homem sobre o assunto ser muito limitado. O fato de que a mente subconsciente é o meio de comunicação entre a mente pensante do homem e a Inteligência Infinita é em si um pensamento que quase paralisa a razão.

Depois de aceitar como realidade a existência de sua mente subconsciente e compreender as possibilidades dessa mente de transmutar desejos em seu equivalente físico ou monetário, você entenderá por que foi repetidamente instigado a colocar seus desejos em termos claros e resumi-los por escrito. Também entenderá a necessidade da persistência ao executar as instruções. Os treze princípios deste programa são os estímulos com os quais, mediante prática e persistência, você adquire a capacidade de alcançar e influenciar sua mente subconsciente.

Cérebro: o 12º passo para a riqueza

Mais de vinte anos antes de escrever *Think and Grow Rich*, o autor [Napoleon Hill], trabalhando com Alexander Graham Bell e Elmer R. Gates, observou que o cérebro humano é uma estação transmissora e receptora da vibração do pensamento.

A imaginação criativa é o "aparelho receptor" do cérebro, que recebe pensamentos liberados pelos cérebros de outrem. É o veículo de comunicação entre a mente consciente ou racional e as fontes externas das quais se podem receber estímulos de pensamento.

Quando estimulada ou intensificada a uma taxa de vibração elevada, a mente se torna mais receptiva à vibração do pensamento oriundo de fontes externas. Esse aumento ocorre mediante emoções positivas ou negativas. As vibrações do pensamento podem ser aumentadas por meio das emoções. Por isso é crucial que seu objetivo seja respaldado por fortes emoções.

Vibrações extremamente altas são as únicas captadas e transmitidas pelo cérebro. Pensamento é energia viajando a uma taxa de vibração extremamente alta. O pensamento modificado ou intensificado por qualquer uma das emoções principais vibra a uma taxa muito mais elevada do que o pensamento comum e é o tipo de pensamento que passa de uma mente para outra pelo mecanismo de transmissão do cérebro humano.

Assim, você vê que o princípio da transmissão é o fator de misturar sentimento ou emoção a seus pensamentos e transmiti-los para sua mente subconsciente ou para a mente de outrem.

Sexto sentido: o 13º passo para a riqueza

O 13º e último princípio é conhecido como o "sexto sentido" pelo qual a Inteligência Infinita pode e irá se comunicar voluntariamente, sem nenhum esforço ou exigência do indivíduo. Depois de ter dominado os princípios deste livro, você estará preparado para aceitar como verdade uma afirmação que de outra forma pareceria incrível: com a ajuda do sexto sentido, você será avisado de perigos iminentes a tempo de evitá-los e notificado das oportunidades a tempo de abraçá-las.

Com o desenvolvimento do sexto sentido, uma espécie de "anjo da guarda" vem em seu auxílio para servi-lo; esse "anjo" lhe abrirá a porta do Templo da Sabedoria o tempo todo. Você nunca saberá se isso é uma declaração verdadeira, a menos que siga as instruções descritas neste programa ou algum método semelhante.

O autor de *Think and Grow Rich* não era um crente nem defensor de "milagres", pois tinha conhecimento suficiente da natureza para entender que ela nunca se desvia de suas leis estabelecidas. Algumas dessas leis são tão incompreensíveis que produzem o que parece "milagres". O sexto sentido se aproxima desse status.

Uma palavra final sobre o medo

Quando você começa qualquer novo empreendimento, é provável que, em um momento ou outro, se veja tomado pela emoção do medo. Nunca se deve barganhar com o medo ou capitular a ele.

O medo tira o charme de sua personalidade, destrói a possibilidade de pensar com precisão, desvia a concentração do esforço, subjuga a persistência, transforma a força de vontade em nada, aniquila a ambição, obscurece a memória e convida ao fracasso em todas as formas imagináveis. Mata o amor, assassina as mais belas emoções do coração, desestimula a amizade e leva à insônia, à miséria e à infelicidade. A emoção do medo é tão perniciosa e destrutiva que é quase literalmente pior do que qualquer coisa que possa lhe suceder.

Se você sofre do medo da pobreza, tome a decisão de ficar bem com qualquer riqueza que possa acumular, sem preocupação. Se você tem medo de perder o amor, tome a decisão de ficar bem sem amor, caso seja necessário. Se você experimenta um sentimento de preocupação em geral, chegue à decisão todo-abrangente de que nada que a vida tenha a oferecer vale o preço da preocupação.

E lembre-se: o maior de todos os remédios para o medo é um desejo ardente de realização, apoiado pelo serviço útil aos outros.

PERGUNTAS E RESPOSTAS SOBRE MASTERMIND

Agora que você estudou a dinâmica do MasterMind e tem uma compreensão de seu papel e função centrais no programa de Napoleon Hill, provavelmente tem perguntas sobre como formar e manter uma aliança. Este capítulo aborda algumas das questões mais comuns sobre a gestão do grupo de MasterMind. Nada nesse processo deve causar aborrecimento, e este capítulo ajuda a deixar as preocupações de lado.

Pergunta: A quem devo abordar inicialmente para começar um grupo?

Resposta: Recomendo começar com amigos e colegas de trabalho que já tenham demonstrado interesse em autoajuda e com quem você já tenha discutido Napoleon Hill ou autores semelhantes. Você não está tentando converter ninguém a nada. Você vai começar contatando pessoas que já têm interesse sincero em autoajuda e filosofia motivacional. Certifique-se de que vocês concordam em termos de ideais. E, importantíssimo, que a química entre vocês é agradável. Além disso, eu não necessariamente recomendaria abordar pessoas de quem você é muito próximo, como um cônjuge. Isso para que você possa trazer uma sensação de história nova ao projeto.

P: Podemos convidar novos membros para um grupo existente?

R: Claro que sim. Se novos membros não fossem bem-vindos, eu nunca teria me juntado ao meu grupo de MasterMind. Meu grupo começou na primavera de 2008, e só entrei no verão de 2013. O fundamental é selecionar novos membros que estejam em sincronia com os valores, tom e estilo do grupo. Se o grupo tende a ser de natureza religiosa (como o meu), devem-se buscar pessoas que fiquem à vontade com isso e que possam contribuir para a atmosfera do grupo. É importante cultivar o crescimento e a manutenção do grupo em seus próprios termos, como se fosse um jardim ou lavoura, acrescentando coisas naturais ao seu clima. O objetivo não é trazer novatos para modificar ou virar de pernas para o ar o que vocês estão fazendo, mas sim ajudar o grupo a continuar florescendo. Cortesia e harmonia são vitais.

P: Posso participar de um grupo já formado?

R: Com toda certeza. Conforme observado, foi assim que entrei no meu grupo. O essencial ao convidar membros para um grupo existente ou recrutar pessoas para iniciar um novo é encontrar o ajuste certo.

Se você já tem amigos ou colegas em um grupo de MasterMind, pode abordá-los sobre a adesão. E respeite a resposta. Às vezes as pessoas querem manter o equilíbrio e a intimidade do grupo atual. Outras vezes, podem estar à procura de novos membros e ficar encantadas em saber de seu interesse. Eu não sondaria um estranho para entrar no grupo. É melhor ter uma âncora em alguém que você já conheça e respeite.

P: Temos um membro que nunca ou raramente aparece. Devemos expulsá-lo?

R: Não recomendo. É quase inevitável ter membros que se afastam, não comparecem ou raramente participam. Meu conselho é: deixe assim. Não parta para o confronto ou para a expulsão formal (ou informal). Se a pessoa voltar a participar, muito bem. Caso se afaste, deixe que vá em paz. E, mesmo que alguém pareça ir e vir perpetuamente – o que não é o ideal, já que se desassocia do fluxo e do contexto do grupo –, ainda assim recomendo paciência. Conflito sufoca o MasterMind. Uma das piores decisões que já presenciei foi quando integrantes decidiram que dois membros não se encaixavam na natureza de um grupo. Tentaram explicar diplomaticamente e excluir a dupla. Os membros do grupo acharam que estavam apenas sendo honestos, mas os sentimentos de todas as partes foram profundamente feridos, e o grupo inteiro logo se desfez. O essencial é garantir que se tenha membros fixos suficientes para manter a reunião acontecendo a cada semana – o mínimo é dois. Sempre se podem adicionar novos integrantes, o que é uma solução muito melhor do que expulsões.

P: Como devemos agir quando um membro se afasta do tópico, ou cujos comentários costumam ser enrolados?

R: É aqui que se deve ser assertivo de forma construtiva quanto aos objetivos e estrutura do grupo. Cabe ao líder rotativo de cada semana fazer isso, embora outros também possam tomar a iniciativa. É vital que a estrutura e as regras básicas do grupo, conforme descrito no Capítulo 2, sejam seguidas, embora o grupo possa, é claro, adaptar e reformar algumas dessas normas. Uma vez estabelecido um formato estável, cabe a cada membro, por uma questão de respeito pelo grupo e seus objetivos, honrá-lo e ser estruturado, estável e focado nos comentários e trocas. Certa vez, um membro do meu grupo que estivera ausente por um tempo reapareceu e passou um período razoavelmente liberal se inteirando dos assuntos e descrevendo um projeto pessoal. Em dado momento, outro membro objetou que aquela conversa fiada já durava cerca de quarenta minutos e ele queria que a reunião prosseguisse no ritmo habitual. Nós rapidamente mudamos o rumo. A correção foi inteiramente adequada e necessária. Todo mundo tem seu ritmo e jeito, e é natural, por exemplo, que alguns membros sejam mais falantes do que outros. Mas todos são obrigados a respeitar uma noção de formato, foco e agilidade razoável.

P: Nosso grupo é uma mistura de pessoas espiritualizadas e não espiritualizadas. Como lidar com questões como prece e meditação?

R: Em termos gerais, o MasterMind e o livro *Think and Grow Rich* têm um componente espiritual, o que significa que, ao escrever sobre o MasterMind, Hill descreveu fatores e possibilidades extrafísicos, tais como explorar a Inteligência Infinita. Assim, muitos participantes do MasterMind acham natural usar preces, meditações, afirmações, visualizações e várias técnicas da tradição da mente positiva, bem como de suas crenças. Se a espiritualidade é importante para vocês, procurem colaboradores com valores semelhantes. Dito isso, um grupo de MasterMind pode perfeitamente ser conduzido de maneira não espiritual. Exercícios para o estabelecimento de metas e contratos pessoais, por exemplo, envolvem manter-se nos seus mais elevados padrões e não são necessariamente de natureza espiritual. Afirmações e meditações também podem servir a fins éticos e psicológicos. Existe evidência suficiente, em vários ramos da psicologia cognitiva, a apoiar o uso de afirmações bem formuladas, visualizações e autossugestão para fins de condicionamento, pensamento expandido e estabelecimento de metas. Para filosofia do poder da mente com um tom nitidamente secular, recomendo a leitura de *Psicocibernética*, de Maxwell Maltz, de 1960. O autor, pioneiro da cirurgia plástica, elaborou todo um programa de desenvolvimento pessoal baseado em meditação, visualização e afirmação sem o elemento da espiritualidade. Membros espiritualizados e não espiritualizados do grupo encontrarão um terreno comum no livro de Maltz.

P: Ouvi dizer que Napoleon Hill nunca teve um grupo de MasterMind e que, em vez disso, conduziu conversas imaginárias com figuras históricas. Posso fazer isso também?

R: Em *Think and Grow Rich*, Hill descreveu a convocação regular de um "conselho imaginário" de personalidades históricas de quem ele recebia orientações, conselhos e lições de construção de caráter. Mas nunca se referiu a isso como substituto para um grupo de MasterMind, para ele ou para qualquer um. Lembre-se do testemunho de John Gilmore, do Centro Espiritual do Coração Aberto (Capítulo 2), cujo grupo de MasterMind usou discussões imaginárias com figuras históricas para ampliar, e não para substituir, as reuniões. Hill descreveu sua técnica do "conselho imaginário" da seguinte maneira no capítulo 14 de *Think and Grow Rich*:

> Muito antes de escrever uma linha para publicação ou fazer um discurso em público, adquiri o hábito de remodelar meu caráter, tentando imitar nove homens cujas vidas e obras eram as mais importantes para mim. Esses nove homens eram Emerson, Paine, Edison, Darwin, Lincoln, Burbank, Napoleão, Ford e Carnegie. Eu fazia uma imaginária reunião de conselho com esse grupo, que chamei de "conselheiros invisíveis".
>
> O procedimento era o seguinte: pouco antes de dormir à noite, fechava os olhos e imaginava esse grupo de homens sentados comigo em volta da minha mesa do conselho. Ali eu não apenas tinha a oportunidade de me sentar entre aqueles que considerava grandes, como também de fato dominava o grupo, atuando como presidente.

Se esse tipo de prática agrada a você e aos membros de seu MasterMind, podem tentar individualmente, talvez um de cada vez, e reportar os resultados e *insights* para o grupo. O procedimento completo aparece em *Think and Grow Rich*, e cito um dos diálogos imaginários de Hill na próxima pergunta. Lembre-se: essa prática é um acréscimo para o MasterMind, mas não um substituto.

P: Explique em detalhes para mim: o que realmente acontece no MasterMind em termos físicos e empíricos?

R: Mencionei anteriormente que não dedicaria muito deste livro à análise metafísica. Este é um livro de aplicação e prática. Mas há uma passagem intrigante e negligenciada na parte final de *Think and Grow Rich* que acho que vale a pena observar. É uma afirmação que Hill imaginou ser feita por Thomas Edison, membro de seu "conselho imaginário", conforme descrito acima. Hill e Edison de fato mantiveram uma breve correspondência. Pouco antes da publicação de seu primeiro livro, *O manuscrito original – As leis do triunfo e do sucesso de Napoleon Hill*, em 1928, Hill enviou o manuscrito ao inventor; Edison respondeu que só tivera tempo para fazer um "exame superficial", mas que, pelo que havia lido, acreditava que "a filosofia é sólida. (...) Se os alunos dessa filosofia trabalharem tão arduamente em aplicá-la quanto você ao elaborá-la, serão amplamente recompensados pela labuta". Vindo de Edison, é um elogio digno de crédito. O trecho a seguir, conforme já mencionado, não provém de Edison, mas de um diálogo imaginário de Hill. Considero um bom resumo da perspectiva de Hill e uma tentativa razoável para a época de descrever a física do MasterMind:

> Certa noite, Edison chegou antes de todos os outros.
>
> Ele se aproximou e sentou-se à minha esquerda, onde Emerson costumava sentar, e disse: "Você está destinado

a testemunhar a descoberta do segredo da vida. Quando chegar a hora, você observará que a vida consiste em grandes enxames de energia, ou entidades, cada uma tão inteligente quanto os seres humanos *pensam* que são. Essas unidades de vida se agrupam como colmeias de abelhas e permanecem juntas até se desintegrar *por falta de harmonia*. Essas unidades têm diferenças de opinião, da mesma forma que os seres humanos, e muitas vezes lutam entre si. Essas reuniões que você está conduzindo lhe serão muito úteis. Trarão em seu auxílio algumas das mesmas unidades de vida que serviram aos membros do seu gabinete durante suas vidas. Essas unidades são eternas. Nunca morrem. Seus pensamentos e desejos atuam como o ímã que atrai unidades de vida do grande oceano da vida lá fora. Apenas unidades amistosas são atraídas, aquelas que se harmonizam com a natureza dos seus desejos".

Os outros membros do gabinete começaram a entrar na sala. Edison levantou-se e caminhou lentamente para o seu lugar. Edison ainda estava vivo quando isso aconteceu. Fiquei tão impressionado que fui vê-lo e contei a experiência. Ele deu um largo sorriso e disse: "Seu sonho foi mais real do que você imagina". E não acrescentou mais nenhuma explicação à declaração.

P: Tudo bem entrar em contato com os membros entre as reuniões?

R: Claro. As pessoas do seu grupo podem ser amigas, colegas de trabalho ou colaborar em um projeto em conjunto. Não seja excessivamente formal quanto aos contatos do grupo. É perfeitamente natural e esperado que os membros se falem ou se reúnam durante os períodos intermediários. O MasterMind fortalece vínculos pessoais, e não os proíbe. Sinta-se à vontade para manter as amizades e relacionamentos de forma natural entre as reuniões. Tudo bem que os membros do MasterMind forneçam conselhos, apoio e orientação uns aos outros dentro ou fora das reuniões, caso haja o desejo mútuo. Mas sempre se certifique de que o grupo seja robusto, nunca forme panelinhas ou faça fofoca sobre outros membros.

P: Em que circunstâncias é aceitável faltar a um encontro? E se eu estiver viajando, doente ou de férias?

R: A vida é complexa, e todos nós vamos faltar a um encontro de vez em quando. Mas eu faria todo o empenho, mesmo em uma viagem ou no caso de uma doença leve, para estar na reunião ou teleconferência. Se você quer que o MasterMind esteja a postos para ajudá-lo, você deve estar a postos para participar. A participação regular confere consistência e potência aos esforços do grupo; não há substituto para o comparecimento. A participação também gera confiança. Você pode estar relaxando em férias ou viajando em um fuso horário diferente e se sentindo livre da agenda, mas um colega pode estar precisando, e ouvir sua voz e conselho pode ser a verdadeira salvação para ele. Esse tipo de consistência fortalece a fé de todos e a crença que depositam no MasterMind, o que acaba ajudando todos os membros.

P: Posso levantar questões pessoais no meu grupo de MasterMind?

R: Sim. No meu grupo, discutimos questões conjugais e de relacionamento, saúde emocional, estresse, criação de filhos e qualquer tipo de assunto pessoal, além de questões profissionais e de carreira. Esses tópicos geralmente fluem juntos. Como afirmam os princípios do MasterMind, as preocupações do grupo abrangem tudo o que se refere a uma "vida repleta de sucesso e feliz", incluindo assuntos profundamente pessoais. Eu não sugeriria aventurar-se em tais temas na primeira ou segunda reunião; você pode querer estabelecer um senso de familiaridade e relacionamento com o grupo antes de abordar assuntos pessoais. Porém, se o seu grupo estiver bem montado, essa intimidade surgirá rapidamente. Você deve se sentir livre para compartilhar qualquer questão da vida com seus parceiros do MasterMind.

P: Você disse que eu deveria discutir meus planos apenas com especialistas abalizados e membros do meu grupo de MasterMind. Mas e quanto ao cônjuge, melhor amigo ou parente próximo?

R: Claro que você pode conversar com pessoas íntimas, como um cônjuge. Pense nos seus planos como uma questão de saúde que você compartilharia com familiares próximos e especialistas, mas não com qualquer um. Trata-se não de cultivar o isolamento ou sonegar informações, mas de ser discreto. O grupo de MasterMind desempenha papel fundamental nisso.

POSFÁCIO

MASTERMIND PARA TODOS

"Pois onde se reunirem dois ou três em meu nome,
ali eu estou no meio deles."

— Mateus, 18:20

Ao escrever esta exortação para a formação e manutenção de um grupo de MasterMind, percebo que, para alguns leitores, possa ser temporariamente impossível. Por motivos alheios ao seu controle, de momento você pode não ter como encontrar uma pessoa com quem iniciar um grupo ou pode estar enfrentando outras barreiras. Não se preocupe. Existe uma opção.

O que estou prestes a oferecer não é um substituto para o MasterMind, mas sim um acréscimo e uma ponte para aqueles momentos em que é impraticável reunir-se com outros. Você pode se reunir em silêncio comigo.

Todos os dias, às 15h do horário padrão oriental (EST), entro em um curto período de oração e reflexão. Algumas tradições cristãs ensinam que Cristo morreu na cruz às 15h. Uma devoção católica popular diz que essa é "a hora da grande misericórdia". É um período em que pessoas de todas as partes (variando de acordo com o fuso horário) param em oração, união silenciosa e boas intenções. Esse momento é usado não apenas para desejos pessoais, mas também para desejar o bem dos outros, quem sabe orar pela recuperação de alguém doente, ou por qualquer coisa que seja necessária em sua vida, na de um amigo, colega ou ente querido.

Tenho um alarme diário permanente no meu telefone para as 15h EST e sugiro que você faça o mesmo. Não importa onde esteja – em um elevador, em uma reunião, até mesmo dirigindo (contanto que não tire os olhos da via) –, você pode dar uma pausa na torrente de pensamentos para expressar gratidão, meditar sobre desejos éticos e pensar em coisas boas e produtivas. Podemos fazer isso juntos às 15h EST, ou você pode fazer sozinho ou com outras pessoas no seu fuso horário.

Convido você a se juntar a mim todos os dias nesse pacto silencioso, uma espécie de MasterMind, sejam quais forem as horas e a distância que nos separe. Lembre-se: essa prática não substitui o MasterMind. Pense nela simplesmente como uma camaradagem de longa distância e uma ponte até você conseguir entrar em um arranjo tradicional de MasterMind. Prometo que, salvo uma emergência médica ou alguma outra urgência, estarei com você todos os dias às 15h EST em reflexão e oração.

Não posso conhecer pessoalmente todos vocês que estão lendo estas palavras, mas nesse horário vou desejar as mais elevadas realizações éticas a todos que se juntarem, e peço que façam o mesmo.

HORA DA AÇÃO
"Não peço mais bênçãos"

Há muito admiro esta prece de Napoleon Hill, que talvez você queira recitar diariamente. Se ressoa em você, escreva em um cartão e o mantenha à mão:

Não peço mais bênçãos, mas mais sabedoria para fazer melhor uso das bênçãos que tenho agora. E, por favor, dê-me mais compreensão para que possa ocupar mais espaço no coração de meus semelhantes prestando mais serviço amanhã do que prestei hoje.

Sinta-se à vontade para dirigir a prece a Deus, à Inteligência Infinita (como Hill às vezes fazia) ou simplesmente usá-la como uma meditação que fala aos seus mais altos ideais.

APÊNDICE 1

SUPERALMA: A CHAVE INTERIOR PARA O MASTERMIND

Por trás do conceito do MasterMind de Napoleon Hill, está a visão da "Superalma" de Ralph Waldo Emerson. Como Emerson observa no ensaio seminal de 1841, existe uma Mente Superior, ou o que Hill chamou de Inteligência Infinita, na qual todos os seres habitam e cujos *insights* fluem através do indivíduo em seus momentos mais sensíveis. Quanto mais você é permeado pelas ideias dessa mente criativa mais elevada, que é a fonte de tudo que existe, mais naturais, verdadeiras, benéficas e eficazes são as suas ideias. Nesses momentos, as ideias deixam de ser apenas "suas" e são, isso sim, expressões da verdade em seu sentido último.

Em sua realização mais plena, o objetivo do MasterMind é colocar os participantes em contato com a Inteligência Infinita. O genial é que, além das qualidades práticas, motivacionais e educacionais, o programa de Hill coloca o indivíduo no fluxo das leis e da ética universais. Assim sendo, você fica a serviço de seu máximo desenvolvimento e do desenvolvimento dos outros.

A aliança de MasterMind é um meio para experimentar a Inteligência Infinita ou a Superalma. Lembre-se disso da próxima vez que se sentir muito "ocupado" para dedicar um tempo à reunião do grupo. Você não está apenas em um pacto com seus parceiros, mas também, idealmente, com a fonte superior de todas as ideias.

A seguir você verá o texto completo de "A Superalma", publicado por Emerson na *Primeira série* de ensaios, junto com meu comentário, no qual assinalo os pontos especialmente pertinentes ao MasterMind. Esse grande tratado de Emerson é uma das expressões mais claras, simples e sem adornos de como se relacionar com o princípio superior da vida. Revela o estado mental de quando se está em contato com a Inteligência Infinita. Acho que você retornará a esse ensaio pelo resto da vida.

De sua parte, Napoleon Hill escreveu sobre Emerson com veneração, e as ideias do filósofo motivaram Hill no início de sua pesquisa. O MasterMind nasceu da missão de Hill de encontrar técnicas concretas que abrissem o indivíduo aos *insights* universais e às leis naturais. Ao ler o ensaio de Emerson, você reconhecerá elementos que embasam algumas das ideias de Hill. "A Superalma" parecerá ao mesmo tempo familiar e surpreendentemente novo. Você pode deparar com trechos de linguagem misteriosa ou inescrutável; não se preocupe, vá em frente, e o significado rapidamente ficará claro. Emerson muitas vezes rematava suas ideias com uma frase ou expressão de clareza retumbante.

Minhas anotações pretendem elucidar e realçar as ideias centrais e relacioná-las aos objetivos deste livro e a seu trabalho com o MasterMind.

A Superalma

Mas almas que de sua boa vida partilham,

Ele ama como a si mesmo; elas lhe são caras

Como seus olhos: ele nunca as abandonará:

Quando morrerem, então o próprio Deus morrerá:

Elas vivem, elas vivem em bem-aventurada eternidade.

— HENRY MORE

O espaço é amplo, leste e oeste,

Mas dois não podem andar lado a lado,

Não podem dois viajar nele:

Acolá, o cuco magistral

Amontoa todos os ovos fora do ninho,

Vivos ou mortos, exceto o dele mesmo;

Um feitiço é assentado em relva e pedra,

Noite e Dia foram adulterados,

Toda qualidade e âmago

Sobrecarregados e abafados por um poder

Que impõe sua vontade sobre a era e a hora.

Há uma diferença entre uma e outra hora da vida em termos de autoridade e subsequente efeito. Nossa fé vem em momentos; nosso vício é habitual.[*] No entanto, há uma profundidade nesses breves momentos que nos obriga a atribuir mais realidade a eles do que a todas as outras experiências. Por essa razão, o argumento sempre disponível para silenciar aqueles que concebem esperanças extraordinárias no homem, isto é, o apelo à experiência, é para sempre inválido e vão. Abandonamos o passado ao opositor, e ainda temos esperança. Ele deve explicar essa esperança. Admitimos que a vida humana é mesquinha, mas como descobrimos que era mesquinha? Qual o fundamento desse nosso desconforto, desse velho descontentamento? Qual o sentido universal da carência e da ignorância, a não ser a tênue insinuação com a qual a alma faz sua enorme reivindicação? Por que os homens sentem que a história natural do homem nunca foi escrita, mas ele está sempre deixando para trás o que você disse sobre ele, e isso envelhece, e livros de metafísica tornam-se inúteis?[**] A filosofia de seis mil anos não vasculhou as câmaras e depósitos da alma. Em seus experimentos sempre permaneceu, em última análise, um resíduo que não pôde decifrar. O homem é um córrego cuja fonte está oculta. Nosso ser desce sobre

_____

[*] Emerson está identificando a situação humana: você tem acesso à perspectiva mais elevada, mas apenas nos momentos mais excepcionais de sensibilidade e fora do hábito e da rotina.

[**] Seu descontentamento com o comum e sua experiência de momentos de vida sublimes validam a existência de algo maior. Tais momentos grandiosos são pontos de referência e testemunho da verdade superior, pela qual o resto da vida é medido.

nós, vindo não sabemos de onde. A calculadora mais exata não tem como prever se algo incalculável pode perturbar o instante seguinte. A todo momento sou forçado a reconhecer uma origem mais elevada para os eventos do que a vontade que considero minha.[*]

Tal como é com os eventos, assim é com os pensamentos. Quando observo aquele rio a fluir, vindo de regiões que não vejo, que derrama por uma estação suas águas em mim, vejo que sou um serviçal; não uma causa, mas um espectador surpreso dessa água etérea; vejo que eu desejo, procuro e me coloco em atitude receptiva, mas de alguma energia alheia vêm as visões.[**]

O Crítico Supremo dos erros do passado e do presente e único profeta daquilo que deve ser é a grande natureza em que repousamos, enquanto a terra jaz nos braços macios da atmosfera; aquela Unidade, aquela Superalma dentro da qual o ser particular de cada homem está contido e se torna um com todos os outros; aquele coração comum, do qual toda conversa sincera é adoração, para o qual toda ação correta é submissão; aquela realidade opressora que refuta nossos truques e talentos e obriga cada um a se passar pelo que é e a falar com o caráter, e não com a língua, e que sempre tende a passar para nossos pensamentos e mãos e se tornar sabedoria, virtude, poder e beleza. Vivemos em sucessão, em divisão, em partes, em partículas. Enquanto isso, dentro do homem está a alma do todo; o sábio silêncio; a beleza universal, à qual todas as partes e partículas estão igualmente

---

[*] O sublime é mais real que a rotina. A vida verdadeira e os *insights* autênticos emanam dessa qualidade superior.

[**] Você entende muito pouco da natureza do *insight* e percepção verdadeiros. Nos momentos mais sensíveis, porém, você vê vagamente que a origem é uma fonte superior.

relacionadas; o eterno UM.* E esse poder profundo em que existimos e cuja beatitude é acessível a nós não é apenas autossuficiente e perfeito em todas as horas, mas o ato de ver e a coisa vista, aquele que vê e o espetáculo, o sujeito e o objeto são um. Vemos o mundo pedaço por pedaço, como o sol, a lua, o animal, a árvore, mas o todo, do qual estes são as partes brilhantes, é a alma. Somente pela visão dessa Sabedoria se pode ler o horóscopo das eras e, recorrendo aos nossos melhores pensamentos, rendendo-nos ao espírito da profecia que é inato a todo homem, podemos saber o que ele diz. As palavras de cada homem que fala a partir daquela vida devem soar vãs para os que não habitam no mesmo pensamento. Não me atrevo a falar por ela. Minhas palavras não carregam seu sentido augusto, ficam aquém e são frias. Só ela mesmo pode inspirar, e eis que, a quem o for, seu discurso será lírico, doce e universal como o soprar do vento. Todavia, desejo, ainda que com palavras profanas, se não posso usar as sagradas, indicar o céu dessa divindade e relatar os sinais que recolhi da simplicidade e da energia transcendentes da Lei Superior.**

Se considerarmos o que acontece nas conversas, nos devaneios, no remorso, nos momentos de paixão, nas surpresas, nas instruções dos sonhos, nos quais muitas vezes nos vemos disfarçados – os disfarces divertidos apenas magnificam e realçam um elemento real e o

---

* Você vive em fragmentos, mas é parte de um todo maior: a Superalma, ou o que Hill chama de MasterMind e Inteligência Infinita. É isso que faz com que você, em seus momentos mais elevados, seja autêntico e original em seu pensamento e fala, em vez de apenas uma câmara de eco e repetição.

** Suas ideias e *insights* emergem de um reservatório de pensamento superior. Quando você opera com autoridade e graça, fica sujeito e perceptivo a esse princípio superior da vida que sustenta tudo o que você é.

forçam à nossa clara atenção –, vamos colher muitos sinais que irão ampliar e iluminar o conhecimento do segredo da natureza. Tudo vai mostrar que a alma do homem não é um órgão, mas anima e move todos os órgãos; não é uma função, como o poder da memória, do cálculo, da comparação, mas utiliza-os como mãos e pés; não é uma faculdade, mas uma luz; não é o intelecto ou a vontade, mas a mestra do intelecto e da vontade; é o pano de fundo do nosso ser, no qual este repousa – uma imensidão não possuída e que não pode ser possuída.* De dentro ou de trás, uma luz brilha através de nós sobre as coisas e nos faz perceber que não somos nada e que a luz é tudo. Um homem é a fachada de um templo onde habitam toda a sabedoria e todo o bem. O que comumente chamamos de homem, o homem como o conhecemos, que come, bebe, planta, conta, não se representa, mas se falseia. A ele não respeitamos, mas a alma de quem ele é órgão, deixasse ele que essa alma aparecesse por meio de sua ação, faria nossos joelhos dobrarem. Quando a alma respira por meio do intelecto do homem, é gênio; quando respira por meio da vontade, é virtude; quando flui por meio da afeição, é amor. E a cegueira do intelecto começa quando este é algo por si. A fraqueza da vontade começa quando o indivíduo é algo por si. Toda reforma almeja, em algum aspecto, deixar a alma abrir caminho através de nós, em outras palavras, nos fazer obedecer.**

---

* A alma dentro de você não é um resultado ou uma faculdade, mas a causa de todos os resultados e faculdades. Você deve ser receptivo à sua influência. Quanto mais aberto, melhor e maior você pode ser. A ausência da influência da alma reduz você à imitação e mímica.

** Todo brilhantismo, toda originalidade, toda construtividade e toda virtude – todo o desenvolvimento pessoal – ocorrem quando há menos do eu particular e mais do Superior

Dessa natureza pura todo homem, em algum momento, fica ciente. A linguagem não pode pintá-la com suas cores. A natureza pura é muito sutil. É indefinível, imensurável, mas sabemos que nos permeia e contém. Sabemos que todo ser espiritual está no homem. Um velho e sábio provérbio diz: "Deus vem nos ver sem avisar", isto é, assim como não há barreira ou teto entre nossas cabeças e os céus infinitos, não há obstáculo ou muro na alma onde o homem, o efeito, cessa, e Deus, a causa, começa. Os muros são retirados. Quedamo-nos abertos de um lado às profundezas da natureza espiritual, aos atributos de Deus. Justiça vemos e conhecemos, Amor, Liberdade, Poder. Dessas naturezas nenhum homem jamais ficou acima; elas se elevam sobre nós, principalmente no momento em que nossos interesses nos tentam a feri-las.*

A soberania dessa natureza da qual falamos é conhecida por sua independência das limitações que nos cercam por todos os lados. A alma circunscreve todas as coisas. Como eu disse, a alma contradiz toda a experiência. De maneira semelhante, abole tempo e espaço. A influência dos sentidos, na maioria dos homens, subjugou a mente de tal maneira que as muralhas do tempo e do espaço assumiram aspecto real e intransponível, e falar com leviandade desses limites é, no mundo, o sinal da insanidade. Todavia, tempo e espaço são apenas medidas inversas da força da alma. O espírito brinca com o tempo –

"Pode aglomerar a eternidade em uma hora,

---

se manifestando por meio de você. Você evidencia mais plenamente o que é vital, duradouro e real quando está receptivo. Você é capaz de sair do caminho e permitir que causas mais elevadas, ou a Inteligência Infinita, operem por meio de você?

* O indivíduo é um efeito do Superior, mas a personalidade ofusca a Verdade.

Ou alongar uma hora em eternidade".*

Muitas vezes somos levados a sentir que há outra juventude e velhice além daquela medida a partir do ano do nosso nascimento natural. Alguns pensamentos sempre nos encontram jovens e assim nos mantêm. Um desses pensamentos é o amor pela beleza universal e eterna. Todo homem aparta-se dessa contemplação com o sentimento de que ela pertence às eras, e não à vida mortal. A menor atividade dos poderes intelectuais nos redime em alguma medida das circunstâncias do tempo. Na doença, no abatimento, deem-nos uma linha de poesia ou uma frase profunda e somos revigorados; ou nos apresentem um volume de Platão ou Shakespeare, ou nos lembrem de seus nomes, e no mesmo instante adentramos um sentimento de longevidade. Veja como o profundo pensamento divino reduz séculos e milênios e se faz presente através de todas as eras. O ensinamento de Cristo é menos eficaz agora do que quando ele abriu a boca pela primeira vez? A ênfase dos fatos e das pessoas em meu pensamento não tem nada a ver com o tempo. E assim, sempre, a escala da alma é uma; a escala dos sentidos e do entendimento é outra. Diante das revelações da alma, o Tempo, o Espaço e a Natureza recuam. Na linguagem comum, relacionamos todas as coisas ao tempo, assim como habitualmente relacionamos as estrelas imensamente separadas a uma esfera côncava. E assim dizemos que o Julgamento está distante ou próximo, que o Milênio se aproxima, que o dia de certas reformas políticas, morais e sociais está próximo e coisas assim, quando queremos dizer que, na natureza das coisas, um dos fatos que contemplamos é externo e fugidio, e o outro

---

* Você acredita apenas nas formas externas, e não na realidade de onde elas brotam. Todavia, a realidade que as sustenta é a Verdade.

é permanente e conato com a alma. As coisas que agora estimamos fixadas, uma por uma hão de se desligar, como frutos maduros, de nossa experiência e tombar. O vento há de soprá-las, ninguém sabe para onde. A paisagem, as figuras, Boston, Londres são fatos tão fugidios quanto qualquer instituição passada ou qualquer lufada de névoa ou fumaça, e assim é a sociedade, e assim é o mundo. A alma olha firme para a frente, criando um mundo diante dela, deixando mundos para trás. A alma não tem datas, nem ritos, nem pessoas, nem especialidades, nem homens. A alma conhece apenas a alma; a rede de eventos é o manto esvoaçante com o qual ela está vestida.[*]

Por sua lei, e não pela aritmética, a taxa do progresso da alma deve ser computada. Os avanços da alma não são feitos por gradação, como os que podem ser representados pelo movimento em linha reta, mas sim pela ascensão do estado, tal como pode ser representado pela metamorfose – do ovo em larva, da larva em mosca. Os crescimentos do gênio são de certo caráter *total* que não promove o indivíduo eleito sobre John, depois Adam, depois Richard, e dá a cada um a dor da inferioridade descoberta, mas a cada pontada da dor do crescimento o homem se expande ali onde trabalha, ultrapassando, a cada pulsação, classes, populações de homens. A cada impulso divino, a mente retira as tênues crostas do visível e do finito e sai para a eternidade e inspira e expira seu ar. Conversa com verdades que sempre foram faladas no

---

[*] Grandes revelações rompem nosso senso de tempo e ordem. Sentimentos e sensações podem então fluir desimpedidos de nossos conceitos limitados sobre o que é possível. A Verdade não tem datas, é ilimitada e não é cerceada por cultura ou condição. É universal e sempre urgente.

mundo e fica ciente de uma simpatia mais forte por Zenão e Arriano do que pelas pessoas da casa.*

Esta é a lei da moral e do ganho mental. A simples ascensão, como que por flutuabilidade específica, não a uma virtude particular, mas à região de todas as virtudes. As virtudes estão no espírito que a todas elas contém. A alma requer pureza, mas não é pureza; requer justiça, mas não é justiça; requer benevolência, mas é um pouco melhor, de modo que há uma espécie de descida e acomodação, sentidas quando deixamos de falar de natureza moral para incitar uma virtude que ela impõe. Para a criança bem-nascida, todas as virtudes são naturais e não dolorosamente adquiridas. Fale ao coração do homem, e ele se torna subitamente virtuoso.**

Dentro do mesmo sentimento está o germe do crescimento intelectual, que obedece à mesma lei. Aqueles que são capazes de humildade, de justiça, de amor, de aspiração, já estão em uma plataforma que comanda as ciências e as artes, a fala e a poesia, a ação e a graça. Pois quem quer que habite nessa beatitude moral já antecipa aqueles poderes especiais que os homens tanto prezam. O amante não tem talento nem habilidade que passem despercebidos por sua donzela enamorada, por menos que ela tenha da faculdade relacionada; e o coração que se abandona à Mente Suprema se vê relacionado a todas as suas obras e percorrerá um fácil trajeto para conhecimentos

---

* Todas as mentes são uma. Você não é um ser local. Você percebe isso quando partilha da Mente Superior.

** Todas as virtudes são meras traduções da experiência Divina. A Superalma, ou Inteligência Infinita, é mais alta e mais simples que todas as expressões externas. A Superalma se traduz em virtudes, das quais é a fonte original. As próprias virtudes não podem replicar a Força Criativa da qual elas são uma expressão sombria.

e poderes particulares. Ao ascendermos a esse sentimento primevo e aborígene, vamos instantaneamente de nossa localização remota na circunferência para o centro do mundo, onde, como no aposento particular de Deus, vemos causas e antecipamos o universo, que é apenas um lento efeito.*

Um dos modos do ensinamento divino é a encarnação do espírito em uma forma – em formas como a minha. Eu vivo em sociedade, com pessoas que respondem a pensamentos em minha mente ou expressam certa obediência aos grandes instintos com os quais eu vivo. Eu vejo a presença do espírito nelas. Certifico-me de uma natureza em comum; e essas outras almas, esses eus separados, me atraem como nada mais.** Elas atiçam em mim as novas emoções que chamamos de paixão, amor, ódio, medo, admiração, pena; daí vem a conversa, a competição, a persuasão, as cidades e a guerra. As pessoas são complementares ao ensinamento primário da alma. Na juventude somos loucos por pessoas. Infância e juventude veem todo o mundo nas pessoas. Mas a maior experiência do homem descobre a natureza idêntica que aparece em todas elas. As próprias pessoas nos familiarizam com o impessoal. Em toda conversa entre duas pessoas, é feita tácita referência a uma terceira parte, a uma natureza em comum. Essa terceira parte ou natureza comum não é social, é impessoal, é Deus.*** E assim, em grupos em que o debate é sério, e

---

* A Mente Suprema é a substância primordial de tudo o que é. Quanto mais perto você se aproxima dela, maiores e mais abrangentes são as suas obras.

** Os outros são atraídos, sentem afeição e obedecem à aparência de nossa natureza em comum, conforme ela existe e emana da Mente Divina.

*** Em momentos sensíveis, você reconhece que é uma mera extensão ou reflexo do Superior, assim como todos os que você encontra.

especialmente em questões elevadas, a assembleia fica ciente de que o pensamento se eleva a um nível igual em todos os corações, que todos têm propriedade espiritual sobre o que foi dito, assim como quem falou. Todos se tornam mais sábios do que eram.* Arqueia-se sobre eles como um templo essa unidade de pensamento na qual cada coração bate com um senso mais nobre de poder e dever, e pensa e age com incomum solenidade. Todos ficam cientes de alcançar um maior autocontrole. A unidade brilha para todos. Existe certa sabedoria da humanidade que é comum aos maiores e menores homens e que nossa educação ordinária frequentemente trabalha para silenciar e obstruir. A mente é uma, e as melhores mentes, que amam a verdade pelo bem da verdade, pouco pensam em se apropriar da verdade. Essas mentes aceitam a verdade com gratidão em todas as ocasiões e não a rotulam ou carimbam com o nome de qualquer homem, pois a verdade é delas de antemão, desde a eternidade. Os eruditos e os estudiosos do pensamento não têm o monopólio da sabedoria. Sua violência de direção os desqualifica em algum grau para pensar de verdade.** Devemos muitas observações valiosas a pessoas que não são muito perspicazes ou profundas e que dizem sem esforço a coisa que queremos e há muito caçávamos em vão. A ação da alma é mais frequente naquilo que é sentido e não é dito do que naquilo que é

---

* A troca construtiva que ocorre dentro de um grupo pode elevar todos os participantes. Esse é o núcleo da reivindicação de Hill para o MasterMind. Você também pode ver isso na descrição que ele faz dos signatários da Declaração de Independência.

** Todos os indivíduos são receptáculos; nenhum é maior que o outro; tudo o que importa é o quanto você esteja aberto para que as melhores influências possam atravessar e fluir por você. Os eruditos às vezes aprendem e agem de forma mecânica e são menos autênticos para isso.

dito em qualquer conversa. A alma paira sobre todas as sociedades, e inconscientemente as pessoas buscam por ela umas nas outras. Sabemos mais do que fazemos. Ainda não temos controle sobre nós mesmos, e ao mesmo tempo sabemos que somos muito mais. Sinto a mesma verdade com frequência em minhas conversas triviais com meus vizinhos, de que algo um pouco mais elevado em cada um de nós observa esse enredo secundário, e Júpiter acena para Júpiter por trás de cada um de nós.*

Os homens descem de nível para se encontrar. Em seu serviço habitual e mesquinho ao mundo, pelo qual abandonam sua nobreza inerente, assemelham-se àqueles xeques árabes que moram em casas miseráveis e simulam pobreza externa para escapar da avidez do paxá e reservam toda a exibição de riqueza para seus aposentos internos e guardados.**

Assim como está presente em todas as pessoas, a alma também está em todos os períodos da vida. Já é adulta na criança. Ao lidar com meu filho, meu latim e grego, minhas realizações e meu dinheiro não me servem de nada; mas valho-me de tanta alma quanto eu tenha. Se sou voluntarioso, ele coloca sua vontade contra a minha, uma por uma, deixando para mim, se eu quiser, a degradação de espancá-lo com minha superioridade de força. Porém, se renuncio à minha vontade

---

* Deus não é conhecido em você por suas conquistas ou traquejo social. De fato, muito da realização individual ou dos artifícios mundanos pode ocultar o Superior. Mas por trás de todas as relações humanas, a Presença Superior é sentida.

** Costumes, classes, privilégios e outros dispositivos sociais escondem nossa glória compartilhada e inata.

e ajo com a alma, estabelecendo-a como árbitra entre nós dois, de seus jovens olhos a mesma alma olha; ele reverencia e ama comigo.*

A alma é a percebedora e a reveladora da verdade. Conhecemos a verdade quando a vemos, digam os céticos e escarnecedores o que quiserem. Pessoas tolas perguntam, quando você fala o que elas não querem ouvir: "Como você sabe que é verdade, e não um erro seu?". Conhecemos a verdade quando a vemos, pela opinião, assim como sabemos que estamos acordados quando estamos acordados.** Foi uma frase grandiosa de Emanuel Swedenborg que, por si só, indicaria a grandeza da percepção daquele homem: "Não é prova da compreensão de um homem ter condições de confirmar o que quer que lhe agrade, mas ser capaz de discernir que o que é verdadeiro é verdadeiro, e que o que é falso é falso, essa é a marca e o caráter da inteligência". No livro que leio, o bom pensamento retorna a mim a imagem da alma inteira, como toda verdade faz. Para o mau pensamento que nele encontro, a mesma alma se torna uma espada discernente e separadora, e o extirpa. Somos mais sábios do que sabemos. Se não interferirmos em nosso pensamento, mas agirmos com inteireza ou vermos como a coisa está em Deus, conheceremos a coisa particular e todas as coisas e todos os homens. Pois o Criador de todas as coisas e todas as pessoas ergue-se por trás de nós e lança sua temível onisciência através de nós sobre as coisas.***

---

* A justiça e a ação correta aparecem naturalmente não quando você coage ou força, mas quando descobre a comunhão sagrada entre você e o outro.

** Esqueça as verdades pedantes e os jogos de argumentação dos homens. Você sabe a verdade. (Nessa linha de raciocínio, Hill advertiu repetidas vezes contra opiniões ou boatos.)

*** Você tem uma confiança de alma quando está na presença da Verdade. O Superior se reconhece. Quando você fala, não é desafiado; sua compreensão da verdade é evidente.

Mas, além desse reconhecimento próprio em passagens particulares da experiência do indivíduo, a alma também revela a verdade. E aqui devemos tentar nos fortalecer com sua presença e falar com um tom mais digno e imponente desse advento. Pois a comunicação da verdade sobre a alma é o evento mais elevado da natureza, uma vez que ela não entrega algo de si, mas se entrega, ou penetra e torna-se aquele homem a quem ilumina; ou, na proporção da verdade que ele recebe, toma-o para si.*

Distinguimos os pronunciamentos da alma, suas manifestações da própria natureza, pelo termo Revelação. Esses são sempre acompanhados pela emoção do sublime. Pois essa comunicação é um influxo da mente Divina em nossa mente.** É um refluxo do riacho individual diante dos vagalhões do mar da vida. Cada compreensão distinta desse preceito central agita os homens em admiração reverente e deleite. Um arrepio percorre todos os homens ao receberem a nova verdade ou ao desempenharem uma grande ação proveniente do coração da natureza. Nessas comunicações, o poder de ver não está separado da vontade de fazer, mas o *insight* provém da obediência, e a obediência provém de uma alegre percepção. Todo momento em que o indivíduo se sente invadido por ela é memorável. Dada a nossa constituição,

---

Quando fizer algo, faça por inteiro na Verdade. Não em fragmentos; siga todo o arco da Verdade.

* Não procure expressar a verdade; em vez disso, viva a verdade. A verdade é inconfundível. Não é um subproduto, uma opinião ou um caso – é Verdade em si. "Somos mais sábios do que sabemos."

** O filósofo e místico Emanuel Swedenborg (1688–1772), que Emerson citou acima, escreveu sobre um "influxo divino" no indivíduo. Essa é uma ideia central dos grupos de recuperação, ainda que às vezes em linguagem diferente, e na aliança de MasterMind, quando Hill escreve que os membros são um caminho para a Inteligência Infinita.

certo entusiasmo dessa presença divina se faz presente na consciência do indivíduo. O caráter e a duração desse entusiasmo variam com o estado do indivíduo, de êxtase, transe e inspiração profética – que são o aspecto mais raro – ao mais tênue brilho de emoção virtuosa, em cuja forma aquece, como nossas lareiras domésticas, todas as famílias e associações de homens e torna a sociedade possível. Certa tendência à insanidade sempre se fez presente na abertura da percepção religiosa nos homens, como se eles fossem "atingidos por um excesso de luz". Os transes de Sócrates, a "união" de Plotino, a visão de Porfírio, a conversão de Paulo, a aurora de Behmen, as convulsões de George Fox e seus quakers, a iluminação de Swedenborg são desse tipo. O que no caso dessas pessoas notáveis foi um arrebatamento, em inumeráveis exemplos da vida comum foi exibido de maneira menos impressionante. Em toda parte, a história da religião revela uma tendência ao entusiasmo. O enlevo dos morávios e quietistas, a abertura da percepção interna da Palavra na linguagem da Igreja da Nova Jerusalém, o *revivalismo* das igrejas calvinistas, as *experiências* dos metodistas são formas variadas daquele tremor de reverência e deleite com o qual a alma individual sempre se mistura à alma universal.[*]

A natureza dessas revelações é a mesma, são percepções da lei absoluta. São soluções das próprias questões da alma. Elas não respondem às perguntas que o entendimento faz. A alma jamais responde por palavras, mas pela coisa em si que é indagada.[**]

---

[*] A revelação da verdade sempre vem como uma experiência sensacional. Às vezes é um conhecimento silencioso. Outras vezes é arrebatador, exuberante e fisicamente extasiante. Qualquer que seja a expressão, é uma experiência de conhecer e ser – não reivindicar ou insistir.

[**] A verdade não é uma posição ou uma formulação, a verdade é.

Revelação é a exposição da alma. A noção popular de revelação é de leitura da sorte. Nos oráculos passados da alma, o entendimento procura encontrar respostas para questões sensuais e se encarrega de dizer a partir de Deus por quanto tempo os homens existirão, o que suas mãos farão e quem será sua companhia, acrescentando nomes, datas e lugares. Mas não devemos arrombar fechaduras. Temos de coibir essa curiosidade ordinária. Uma resposta em palavras é ilusória; realmente não é resposta para as perguntas que você faz. Não exija uma descrição dos países para os quais você navega. A descrição não os descreve para você, e amanhã você chega lá e os conhece neles habitando. Os homens perguntam sobre a imortalidade da alma, as atividades celestiais, a situação do pecador e assim por diante. Até mesmo sonham que Jesus deixou respostas exatamente para esses interrogatórios. Nem por um momento aquele espírito sublime falou no dialeto deles.* À verdade, à justiça, ao amor, aos atributos da alma, a ideia de imutabilidade está essencialmente associada. Jesus, vivendo nesses sentimentos morais, alheio ao destino sensual, tendo cuidado apenas com as manifestações destes, nunca fez a separação da ideia de duração da essência desses atributos, nem proferiu uma sílaba referente à duração da alma. Coube a seus discípulos separar a duração dos elementos morais e ensinar a imortalidade da alma como uma doutrina e sustentá-la por meio de evidências. No momento em que a doutrina da imortalidade é ensinada em separado, o homem já está caído. No fluir do amor, na adoração da humildade, não há

---

* Nenhuma verdade real é local ou situacional, ou encontrada na adivinhação ou na previsão. A pequenez de suas preocupações constantes e suas baixas ambições nunca podem conter ou transmitir plenamente a Verdade.

questão de continuidade. Nenhum homem inspirado faz essa pergunta ou condescende a essas evidências. Pois a alma é fiel a si mesma, e o homem em quem ela é derramada não pode vagar do presente, que é infinito, para um futuro que seria finito. *

Essas perguntas que desejamos fazer sobre o futuro são uma confissão de pecado. Deus não tem resposta para elas. Nenhuma resposta em palavras pode responder a uma pergunta sobre coisas. ** Não é em um "decreto de Deus" arbitrário, mas na natureza do homem, que um véu cai sobre os fatos do amanhã; pois a alma não nos dará a ler qualquer outra cifra que não seja a de causa e efeito. Por esse véu, que cobre eventos, a alma instrui os filhos dos homens a viver no hoje. O único modo de obter uma resposta a essas questões dos sentidos é renunciar a toda a curiosidade ordinária e, aceitando a maré do ser que nos faz flutuar no segredo da natureza, trabalhar e viver, trabalhar e viver, até a alma que avança inesperadamente ter construído e forjado para si uma nova condição, e a pergunta e a resposta serem uma. ***

Pelo mesmo fogo vital, consagrante, celestial, que queima até dissolver todas as coisas nas ondas e vagas de um oceano de luz, nós vemos e conhecemos uns aos outros, e de qual espírito cada um é. Quem pode saber os motivos de seu conhecimento do caráter dos vários indivíduos em seu círculo de amigos? Homem nenhum. No entanto, os atos e palavras deles não o decepcionam. Naquele homem,

---

* Doutrinas são substitutos de baixa categoria para habitar na presença do Todo.

** Deus fala em princípios, não em ocorrências.

*** A ética natural comanda a vida. Não nos é dado ver o futuro porque isso não é ver a Verdade. As condições não são ajustadas em conformidade, em vez disso, vivem e se desenrolam à medida que conhecemos a verdade, o princípio e o refinamento interior.

embora nada de mal soubesse dele, ele não depositava confiança. Daquele outro, embora raramente tivessem se encontrado, sinais autênticos ainda assim foram emitidos, mostrando que ele poderia ser confiável como alguém que tinha interesse em seu próprio caráter. Conhecemos uns aos outros muito bem – qual de nós foi justo com ele, e se aquilo que ensinamos ou contemplamos é apenas uma aspiração ou é também nosso esforço honesto.[*]

Somos todos discernidores de espíritos. Esse diagnóstico ou poder inconsciente paira sobre nossa vida. O trato da sociedade – seu comércio, sua religião, suas amizades, suas brigas – é uma ampla investigação judicial do caráter. Em tribunal pleno ou pequeno comitê, ou confrontados cara a cara, acusador e acusado, os homens se oferecem para ser julgados. Contra sua vontade, exibem as ninharias decisivas pelas quais o caráter é interpretado. Mas quem julga? E o quê? Não o nosso entendimento. Não os interpretamos por aprendizado ou capacidade. Não; a sabedoria do homem sábio consiste em que ele não os julga; ele deixa que julguem a si mesmos e simplesmente interpreta e registra seu veredito.[**]

Em virtude dessa natureza inevitável, a vontade privada é sobrepujada, e, a despeito de nossos esforços ou de nossas imperfeições, seu gênio falará por você, e o meu, por mim. Aquilo que somos havemos de ensinar, não voluntariamente, mas involuntariamente.[***] Pensamentos

---

[*] O caráter é o único barômetro da vida. Ele brilha através de você de tal maneira que não pode ser ocultado por muito tempo.

[**] As evidências de valor não vêm de detalhes ou pedantismo, mas de como uma coisa ou pessoa se comunica com a Natureza Superior. Isso sempre pode ser sentido.

[***] Todo comportamento, atitudes e ações, tanto públicos quanto privados, é justamente compensado e conhecido.

entram em nossa mente por avenidas que nunca deixamos abertas, e pensamentos saem de nossa mente por meio de avenidas que nunca abrimos voluntariamente. O caráter ensina sobre nossa cabeça. O índice infalível do verdadeiro progresso é encontrado no tom que o homem assume. Nem sua idade, nem sua criação, nem companhias, nem livros, nem ações, nem talentos, nem todos juntos podem impedi-lo de ser deferente a um espírito superior ao seu. Se ele não encontrou sua morada em Deus, suas maneiras, sua forma de falar, o arranjo de suas sentenças, a constituição, devo dizer, de todas as suas opiniões, involuntariamente o confessará, não importa o quanto ele lute. Se ele encontrou seu centro, a Deidade brilhará através dele, através de todos os disfarces da ignorância, do temperamento hostil, das circunstâncias desfavoráveis. O tom do buscar é um, e o tom do ter é outro. *

A grande distinção entre mestres sagrados ou literários – entre poetas como Herbert e poetas como Poe –, entre filósofos como Spinoza, Kant e Coleridge e filósofos como Locke, Paley, Mackintosh e Stewart – entre homens do mundo, que são considerados excelentes oradores, e um místico fervoroso, às vezes profetizando meio louco sob a infinitude de seu pensamento –, é que uma classe fala de dentro ou a partir da experiência, como parte e possuidora do fato; e a outra classe, de fora, como mera espectadora, ou talvez como familiarizada com o fato baseada em evidência de terceiros. Não adianta pregar para mim de fora. Eu também posso fazer isso facilmente. Jesus fala

---

* Somos o que somos; nada pode evadir-se da percepção natural ou alterá-la. Esta afirmação de Emerson deve se tornar o lema de nossos tempos e a bússola de tudo o que você postar e ler nas mídias sociais: "O índice infalível de progresso verdadeiro é encontrado no tom que o homem assume".

sempre de dentro e em um grau que transcende todos os outros. Nisso está o milagre. Acredito de antemão que deva ser assim. Todos os homens permanecem continuamente na expectativa do aparecimento de um professor assim. Mas, se um homem não fala de dentro do véu, onde a palavra é uma com aquilo de que fala, deixe-o humildemente confessá-lo. *

A mesma Onisciência flui para o intelecto e constitui o que chamamos de gênio. Grande parte da sabedoria do mundo não é sabedoria, e a classe de homens mais iluminados é, sem dúvida, superior à fama literária, e eles não são escritores. Entre a multidão de eruditos e autores, não sentimos a presença santificante; somos sensíveis a um pouco de talento e habilidade, não à inspiração; eles têm uma luz e não sabem de onde vem, e dizem que é deles mesmos; seu talento é alguma faculdade exagerada, algum membro excessivamente desenvolvido, de modo que sua força é uma doença. Nesses casos, os dotes intelectuais causam a impressão não de virtude, mas quase de vício; e sentimos que os talentos de um homem obstruem o caminho de seu progresso na verdade. Mas o gênio é religioso. É uma absorção maior do coração comum. Não é anômalo, mas mais semelhante aos outros homens, e não menos. Há, em todos os grandes poetas, uma sabedoria da humanidade que é superior a quaisquer talentos que exercitem. O autor, o perspicaz, o entusiástico, o cavalheiro elegante não tomam o lugar do homem. A humanidade brilha em Homero, em Chaucer, em Spenser, em Shakespeare, em Milton. Eles se satisfazem com a verdade. Eles usam a gradação positiva. Eles parecem frígidos e fleumáticos para aqueles que foram temperados com a

---

* Os verdadeiramente grandes falam a partir de quem são, não do que observam ou julgam.

paixão frenética e a coloração violenta de escritores inferiores, mas populares. Pois eles são poetas pelo livre curso que concedem à alma formadora, que, através de seus olhos, contempla novamente e abençoa as coisas que fez. A alma é superior a seu conhecimento; mais sábia do que qualquer uma de suas obras. O grande poeta nos faz sentir nossa riqueza, e então pensamos menos em suas composições. Sua maior mensagem para a nossa mente é nos ensinar a desprezar tudo o que ele fez. Shakespeare nos transporta para uma atividade inteligente tão elevada que sugere uma riqueza que empobrece a dele; e então sentimos que as esplêndidas obras que ele criou e que em outras horas exaltamos como uma espécie de poesia autoexistente agarram a natureza real com a mesma força que a sombra de um viajante ao passar sobre a rocha. A inspiração que se pronunciou em Hamlet e Lear podia proferir coisas belas dia após dia, para sempre. Por que, então, devo dar conta de Hamlet e Lear, como se não tivéssemos a alma da qual eles saíram como sílabas da língua?*

Essa energia não vem à vida do indivíduo em nenhuma outra condição que não a possessão total.** Vem aos humildes e simples, vem a quem quer que rechace o que é alheio e orgulhoso, vem como *insight*, vem como serenidade e grandeza. Quando vemos aqueles em quem ela habita, tomamos conhecimento de novos graus de grandeza. Dessa inspiração o homem volta com um tom modificado. Ele não fala com os homens de olho na opinião deles. Ele os testa. Ela requer que sejamos francos e verdadeiros. O viajante vaidoso tenta

---

* A grande arte não surge por meio de habilidade ou artifício, mas pelo grau de verdade que permeia seu mensageiro. Aí você esquece o artista e a obra e testemunha apenas a Verdade.

** Você não pode estar parcialmente desperto.

embelezar sua vida citando meu senhor, o príncipe e a condessa que assim o disseram ou fizeram a ele. O ambicioso vulgar mostra suas colheres, broches e anéis e conserva suas cartas e elogios. Os mais refinados, no relato de sua experiência, selecionam as circunstâncias agradáveis e poéticas – a visita a Roma, o homem genial que viram, o amigo brilhante que conhecem; mais adiante, talvez, a paisagem deslumbrante, as luzes da montanha, os pensamentos da montanha de que desfrutaram ontem – e assim procuram lançar uma cor romântica sobre sua vida. Mas a alma que ascende para adorar o grande Deus é franca e verdadeira; não tem lentes cor-de-rosa, nem amigos finos, nem cavalheirismo, nem aventuras; não quer admiração, habita na hora que agora é, na experiência sincera do dia comum – em razão de o momento presente e a mera ninharia terem se tornado porosos ao pensamento e encharcados do mar de luz.[*]

Converse com uma mente que é grandiosamente simples, e a literatura parece um jogo de palavras. Os enunciados mais simples são os mais dignos de serem escritos, bem como as coisas, é claro, ainda que tão triviais que, nas infinitas riquezas da alma, seja como juntar alguns seixos do chão ou engarrafar um pouco de ar em um frasco quando toda a terra e toda a atmosfera são nossas. Nada pode se passar lá, ou torná-lo um do círculo, a não ser deixar de lado suas armadilhas e lidar homem a homem em verdade nua, confissão franca e afirmação onisciente.[**]

---

[*] A grandeza não procura impressionar, acumular ou reunir endossos. Não apresenta nada além de si mesma. Questiona, pesa, não bajula para obter favores, nem faz apelos.
[**] Evite a esperteza. Não tente dar nó em pingo d'água.

Almas como essas o tratam como os deuses o fariam; andam como deuses na terra, aceitando sem qualquer admiração a sua inteligência, sua generosidade, até mesmo sua virtude – sua ação de dever, melhor dizendo, pois sua virtude é delas como o próprio sangue, régia como elas mesmas e super-régia, e o pai dos deuses. Mas que repreensão sua simples postura fraterna lança sobre a lisonja mútua com a qual os autores consolam uns aos outros e se ferem! Elas não bajulam. Não me surpreende que esses homens vão ver Cromwell, Cristina, Carlos II, James I e o grão-turco. Pois eles são, em sua própria elevação, companheiros de reis e devem sentir o tom servil da conversação no mundo. Devem ser sempre uma dádiva de Deus para os príncipes, pois eles os confrontam, de rei para rei, sem hesitação ou concessão, e dão a uma natureza elevada a renovação e a satisfação da resistência, da humanidade franca, do companheirismo constante e das novas ideias. Deixam os homens mais sábios e superiores. Almas como essas nos fazem sentir que a sinceridade é mais excelente do que a bajulação. Trate homens e mulheres com tanta franqueza que obrigue a máxima sinceridade e destrua toda a esperança de serem frívolos com você. Esse é o maior cumprimento que você pode prestar. Seu "maior louvor", disse Milton, "não é a bajulação, e seu conselho mais franco é uma espécie de louvor".*

Inefável é a união de homem e Deus em todos os atos da alma. A pessoa mais simples, que em sua integridade adora a Deus, se torna Deus; contudo, para todo o sempre, o influxo desse eu melhor e

---

* A verdade é naturalmente magnética. Os grandes deste mundo em bens materiais buscam a companhia de indivíduos nos quais reside a autenticidade; eles os consideram iguais – e mais. As pessoas se cansam da bajulação, mas nunca de sinceridade natural.

universal é novo e inescrutável. Inspira admiração e espanto. Quão cara, quão reconfortante para o homem surge a ideia de Deus povoando o lugar solitário, apagando as cicatrizes de nossos erros e decepções! Quando quebramos o nosso deus da tradição e cessamos o nosso deus da retórica, então Deus pode incendiar o coração com sua presença. É a duplicação do próprio coração, ou melhor, a ampliação infinita do coração com um poder de crescimento para um novo infinito de todos os lados. Inspira no homem uma confiança infalível. Ele tem não a convicção, mas a visão, de que o melhor é a verdade, e pode nesse pensamento facilmente descartar todas as incertezas e medos particulares e adiar para a revelação segura do tempo a solução de seus enigmas privados. Ele tem certeza de que seu bem-estar é caro ao coração do ser. Na presença da lei em sua mente, ele é inundado por uma confiança tão universal que arrasta embora todas as esperanças acalentadas e os projetos mais estáveis da condição mortal em sua aluvião. Ele acredita que não pode escapar do seu bem. As coisas que são realmente para você gravitam para você. Você está correndo em busca de seu amigo. Deixe que seus pés corram, mas sua mente não precisa. Se você não o encontrar, não vai concordar que é melhor não encontrá-lo? Pois há um poder que, assim como está em você, está nele também e poderia, portanto, muito bem uni-los, se fosse o melhor. Você se prepara ansioso para ir prestar um serviço para o qual seu talento e seu gosto o convidam, o amor dos homens e a esperança da fama. Não lhe ocorreu que você não tem o direito de ir, a menos que esteja igualmente disposto a ser impedido de ir? Ó, acredite, enquanto viver, que todo som que é falado ao redor do mundo, que você deve ouvir, vibrará em seus ouvidos! Todo provérbio, todo livro, todo epítome que lhe pertence para ajuda ou conforto seguramente voltará para casa por meio de passagens abertas ou sinuosas. Todo amigo que não sua vontade fantasiosa, mas o grande e terno coração em você desejar, haverá de prendê-lo em seus braços. E isso porque o coração em você é o coração de todos; não há uma válvula, nem uma parede, nem um cruzamento em qualquer lugar da natureza, mas um só sangue que corre ininterruptamente em uma circulação sem fim através de todos os homens, como a água do globo é toda um só mar e, vista de forma verdadeira, sua maré é uma só.*

Que o homem, então, aprenda de coração a revelação de toda a natureza e todo o pensamento; a saber, que o Altíssimo habita com ele; que as fontes da natureza estão em sua mente, se o sentimento do dever estiver ali. Mas, para saber o que o grande Deus fala, ele deve "entrar em seu aposento e fechar a porta", como Jesus disse. Deus não se manifestará aos covardes. Ele deve ouvir muitíssimo a si mesmo, afastando-se de todos os sotaques da devoção de outros homens. Até mesmo as preces deles lhe são prejudiciais até ele ter feito a sua.** Nossa religião se apoia de modo vulgar no número de crentes. Sempre que o apelo é feito – não importa o quão indiretamente – aos números, a proclamação feita naquele exato instante é que religião não é. Aquele que considera Deus um doce e envolvente pensamento nunca conta seus acompanhantes. Quando me encontro nessa presença, quem

---

* Aquilo que é naturalmente seu vem para você. Você não pode intensificar as afeições, apressar um compromisso ou forçar um noivado – pelo menos não por muito tempo. Assim como a água encontra seu nível natural, as circunstâncias e relações que são suas por direito chegam a você.

** Você deve estar disposto a receber o que é seu de direito e igualmente disposto a perder o que não é. Viva na verdade.

ousará entrar? Quando repouso em perfeita humildade, quando queimo de puro amor, o que Calvino ou Swedenborg podem dizer?*

Não faz diferença se o apelo é aos números ou a um. A fé que se baseia na autoridade não é fé. A confiança na autoridade mede o declínio da religião, a retirada da alma. A posição que os homens deram a Jesus, já há muitos séculos de história, é uma posição de autoridade. Ela os caracteriza. Não pode alterar os fatos eternos. Grande é a alma, e franca. Não é bajuladora, não é seguidora; nunca apela. Ela acredita em si mesma. Diante das imensas possibilidades do homem, toda a mera experiência, toda a biografia passada, por mais imaculada e santa que seja, recua. Diante daquele céu que nossos pressentimentos predizem, não podemos louvar facilmente qualquer forma de vida que tenhamos visto ou sobre a qual tenhamos lido. Não apenas afirmamos que temos poucos grandes homens, como também falamos categoricamente que não temos nenhum; que não temos história, nenhum registro de qualquer caráter ou estilo de vida que nos contente por inteiro. Os santos e semideuses que a história adora somos obrigados a aceitar com um grão de tolerância. Embora em nossas horas solitárias retiremos uma nova força da memória deles, ainda assim, impingidos à nossa atenção, como são pelo descuido e pelo costume, eles fatigam e invadem. A alma se entrega, sozinha, original e pura, ao Solitário, Original e Puro, que nessa condição alegremente habita, conduz e fala por meio dela. Ela então é alegre, jovem e ágil. Não é sábia, mas vê através de todas as coisas. Não é chamada de religiosa, mas é inocente. Ela chama a luz de sua e sente que a grama cresce e a pedra

---

* A grandeza não está nos números, na popularidade ou no prestígio; ela habita em você quando seu coração bate destemido e alegre no ritmo da verdade.

cai por uma lei inferior a e dependente de sua natureza. Contemple, diz ela, eu nasci na grande mente universal. Eu, a imperfeita, adoro minha Perfeição. Sou de algum modo receptiva à grande alma, e assim sendo negligencio o sol e as estrelas, e sinto que são os graciosos acidentes e efeitos que mudam e passam. Cada vez mais as ondas da natureza eterna entram em mim, e me torno pública e humana em meu aspecto e ações. Então venho a viver em pensamentos e agir com energias que são imortais. Assim reverenciando a alma e aprendendo, como os antigos disseram, que "sua beleza é imensa", o homem virá a ver que o mundo é o perene milagre que a alma opera, e ficará menos surpreso com maravilhas particulares; ele aprenderá que não há história profana, que toda história é sagrada, que o universo está representado em um átomo, em um momento do tempo. Ele não mais tecerá uma vida manchada de farrapos e remendos, mas viverá com uma unidade divina. Ele cessará o que é vil e frívolo em sua vida e ficará contente com todos os lugares e com qualquer serviço que possa prestar. Ele irá enfrentar o amanhã calmamente, na negligência daquela confiança que carrega Deus consigo, e assim já tem todo o futuro no fundo do coração.[*]

---

[*] A verdadeira autoridade não vem da lei. A verdadeira grandeza não vem de exemplos valorosos ou de obras particulares dos homens. Ela existe acima de tudo isso. A grandeza habita no coração de um indivíduo simples, translúcido, que aspira a Deus e que, em momentos de elevação, partilha de tudo que existe.

APÊNDICE 2

AS 16 LEIS DO SUCESSO

Existem dezesseis leis de sucesso. Essas características podem ser encontradas na vida de praticamente todas as pessoas excepcionais. Cada volume do Curso de Sucesso de Napoleon Hill entra em detalhes sobre uma ou mais dessas leis. Embora seja importante dominar todos os dezesseis princípios, o conjunto é em certo sentido inerente a cada indivíduo, da mesma forma que uma floresta primeva pode ser rastreada até uma semente solitária.

1. **Objetivo principal definido.** O ponto de partida de toda realização é um objetivo definido, apaixonado e específico. Não se trata de um desejo comum, mas de algo a que você esteja disposto a dedicar sua vida. Deve ser colocado

por escrito, lido diariamente, trabalhado constantemente e mantido no coração com total comprometimento.

2. **MasterMind.** Como você leu, trata-se de uma aliança harmoniosa que varia de duas a sete pessoas que se reúnem em intervalos regulares para trocar ideias e conselhos e, às vezes, meditações e preces pelo sucesso umas das outras. O MasterMind é fundamental para seus planos, pois o agrupamento de intelectos resulta em uma soma maior do que as partes.

3. **Autoconfiança.** Você deve ter ou cultivar confiança para dar seguimento a seus planos. Se a autoconfiança é baixa, você pode reforçá-la com meditações, visualizações, autos-sugestão e o MasterMind.

4. **Iniciativa e liderança.** Liderança é essencial para o sucesso, e iniciativa é a base em que a liderança se assenta. Iniciativa significa fazer o que deve ser feito sem receber ordens. Só aqueles que têm iniciativa se tornam líderes.

5. **Imaginação.** Para ter um objetivo definido, autoconfiança, iniciativa e liderança, você deve primeiro criar essas qualidades em sua imaginação e vê-las como suas. Imaginação é a faculdade de visualização que delineia seus planos e conecta conhecimento com ideias.

6. **Entusiasmo.** Ingrediente vital que permite que você faça as coisas. Sem entusiasmo, nada é possível. Com entusiasmo, você executa ações de comprometimento incansável que às vezes parecem miraculosas. Por isso seu objetivo deve tocar

suas paixões. Entusiasmo é a coisa mais próxima que existe de um elixir mágico.

7. **Autocontrole.** É a força que dirige seu entusiasmo para fins construtivos. Sem autocontrole de fala, ações e pensamento, o entusiasmo é como um raio: pode cair em qualquer lugar. A pessoa bem-sucedida tem entusiasmo e autocontrole.

8. **Fazer mais do que é pago para fazer.** Você será mais eficiente e terá sucesso com mais rapidez e facilidade caso se dedique ao trabalho que ama. Quando trabalha com paixão, a qualidade e a quantidade do seu trabalho melhoram, e você naturalmente faz um trabalho maior e melhor do que é pago para fazer. Por isso você tem o dever de encontrar o trabalho de que mais gosta.

9. **Personalidade agradável.** Sua personalidade é a soma total de suas características e aparência: as roupas que você veste, suas expressões faciais, a vitalidade de seu corpo, seu aperto de mão, seu tom de voz, seus pensamentos e, mais importante, o caráter que você desenvolveu com tais pensamentos.

10. **Planejamento organizado.** Você deve montar planos definidos, bem pesquisados e práticos para agir e realizar seus desejos. É imperativo começar a agir de acordo com os planos imediatamente, mesmo que em pequenas coisas. Isso está relacionado ao passo seguinte.

11. **Pensamento preciso.** Vital para o sucesso, pensar corretamente significa ponderar fatos, observações, experiências

e dados relevantes para o objetivo. Significa evitar fofocas, rumores, boatos, conversas fúteis e opiniões casuais.

12. **Concentração.** Quanto mais você se concentra em seu objetivo, mais se beneficia da autossugestão, por intermédio da qual ideias persistentes e carregadas de emoção impressionam seu subconsciente e organizam seus pensamentos e energias a serviço do objetivo principal definido. Concentração é uma forma de poder.

13. **Cooperação.** O sucesso não pode ser alcançado sozinho; requer esforço cooperativo. Se o seu trabalho for baseado em cooperação, e não em competição, você chegará mais rápido e desfrutará de uma recompensa adicional em felicidade. Para ganhar a cooperação dos outros, você deve oferecer um forte motivo ou recompensa.

14. **Lucro a partir do fracasso.** O que chamamos de fracasso muitas vezes é uma derrota temporária. Derrotas temporárias costumam revelar-se uma bênção, porque nos sacodem e redirecionam nossas energias para trilhas mais desejáveis. Reveses, retrocessos e derrotas temporárias impelem a pessoa focada no sucesso a melhorar seu caráter e seus planos.

15. **Tolerância.** Intolerância, fanatismo, sarcasmo hostil e intimidação criam inimigos, desintegram as forças organizadas da sociedade, colocam a psicologia da turba no lugar da razão. Essas forças devem ser dominadas para que o sucesso duradouro possa ser atingido.

16. **Regra de Ouro.** Seus pensamentos e ações ativam um poder que segue seu curso na vida dos outros e por fim retornam para ajudá-lo ou detê-lo. Essa lei é imutável, mas você pode se adaptar a ela e usá-la como uma força irresistível que o levará à conquista. Você faz isso vivendo o tempo todo, da melhor forma possível, conforme a Regra de Ouro.

SOBRE NAPOLEON HILL

NAPOLEON HILL nasceu em 1883, no condado de Wise, na Virgínia. Trabalhou como secretário, repórter de um jornal local, gerente de uma mina de carvão e madeireiro, e frequentou a faculdade de direito antes de trabalhar como jornalista na *Bob Taylor's Magazine*, uma revista inspiradora e de interesse geral. Em 1908 Hill entrevistou o magnata do aço Andrew Carnegie, que lhe disse que o sucesso poderia ser resumido em um conjunto de princípios práticos. O industrial incitou Hill a entrevistar grandes empreendedores em todos os campos para descobrir esses princípios. Hill dedicou-se a esse estudo por mais de vinte anos e condensou as descobertas nos livros *O manuscrito original – As leis do triunfo e do sucesso de Napoleon Hill* (1928), *Think and Grow Rich* (1937) e outros clássicos. Hill passou o resto da vida documentando e refinando os princípios do sucesso. Depois de uma carreira como autor, editor, palestrante e consultor de negócios, o pioneiro motivacional morreu em 1970, na Carolina do Sul. Saiba mais sobre Napoleon Hill e a Fundação Napoleon Hill em www.NapHill.org.

Retrato de Napoleon Hill de 1908, ano em que ele conheceu Andrew Carnegie, baseado em uma fotografia da *Bob Taylor's Magazine*. Ilustração de Tim Botta.

SOBRE MITCH HOROWITZ

Uma das vozes mais estudiosas da autoajuda hoje, **MITCH HOROWITZ** é um historiador vencedor do PEN Award; entre seus títulos, destacam-se *Occult America*, *The Miracle Club: How Thoughts Become Reality*, *One Simple Idea: How Positive Thinking Reshaped Modern Life* e *The Miracle of a Definite Chief Aim*, o primeiro livro de uma série baseada nos ensinamentos de Napoleon Hill. Mitch escreveu sobre tudo, da caça às bruxas à vida secreta de Ronald Reagan, para o *New York Times*, *Wall Street Journal*, *Politico*, *Salon* e *Time*. O *Washington Post* disse que Mitch "trata ideias e movimentos esotéricos com um zelo intelectual imparcial muitas vezes perdido nas discussões exaltadas de hoje". Mitch narrou audiolivros, incluindo *Alcoholics Anonymous*, *The Jefferson Bible* e a série Clássicos Condensados da G&D Media. É colunista mensal da revista *Science of Mind* e professor residente na Universidade de Pesquisa Filosófica em Los Angeles. Visite-o em www.MitchHorowitz.com e @MitchHorowitz.

Livros para mudar o mundo. O seu mundo.

Para conhecer os nossos próximos lançamentos
e títulos disponíveis, acesse:

🌐 www.**citadeleditora**.com.br

[f] /**citadeleditora**

[📷] @**citadeleditora**

[🐦] @**citadeleditora**

[▶] Citadel - Grupo Editorial

Para mais informações ou dúvidas sobre a obra,
entre em contato conosco pelo e-mail:

✉ contato@**citadeleditora**.com.br

Fascinante, provocativo e encorajador, *Mais Esperto que o Diabo* mostra como criar a sua própria senda para o sucesso, harmonia e realização em um momento de tantas incertezas e medos. Após ler este livro você saberá como se proteger das armadilhas do Diabo e será capaz de libertar sua mente de todas as alienações.

"Medo é a ferramenta de um diabo idealizado pelo homem."

Sua mente é um talismã secreto. De um lado é dominado pelas letras AMP (Atitude Mental Positiva) e, por outro, pelas letras AMN (Atitude Mental Negativa). Uma atitude positiva irá, naturalmente, atrair sucesso e prosperidade. A atitude negativa vai roubá-lo de tudo que torna a vida digna de ser vivida. Seu sucesso, saúde, felicidade e riqueza dependem de qual lado você irá usar.

Quem pensa enriquece – O legado é o clássico *best-seller* sobre o sucesso agora anotado e acrescido de exemplos modernos, comprovando que a filosofia da realização pessoal de Napoleon Hill permanece atual e ainda orienta aqueles que são bem-sucedidos.

Um livro que vai mudar não só o que você pensa, mas também o modo como você pensa.

O manuscrito original – As leis do triunfo e do sucesso de Napoleon Hill ensina o que fazer para ser bem-sucedido na vida. Sucesso é mais do que acumular dinheiro e exige mais do que uma mera vontade de chegar lá. Napoleon Hill explica didaticamente como pensar e agir de modo positivo e eficiente e como conseguir a ajuda dos outros para a realização de objetivos.

THE NAPOLEON HILL FOUNDATION
What the mind can conceive and believe, the mind can achieve

O Grupo MasterMind – Treinamentos de Alta Performance é a única empresa autorizada pela Fundação Napoleon Hill a usar sua metodologia em cursos, palestras, seminários e treinamentos no Brasil e demais países de língua portuguesa.

Mais informações:
www.mastermind.com.br